Pflege in Einfacher Sprache

Wörterbuch

Dieses Buch gehört

....

....

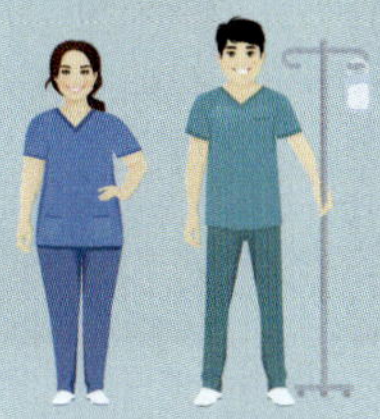

In der Reihe **Pflege in Einfacher Sprache**
gibt es folgende Titel

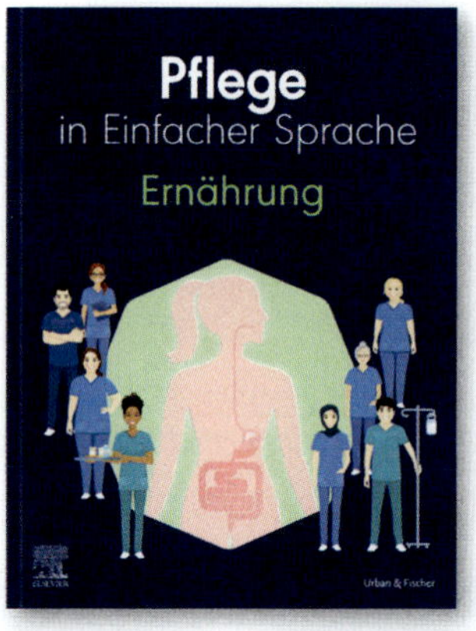

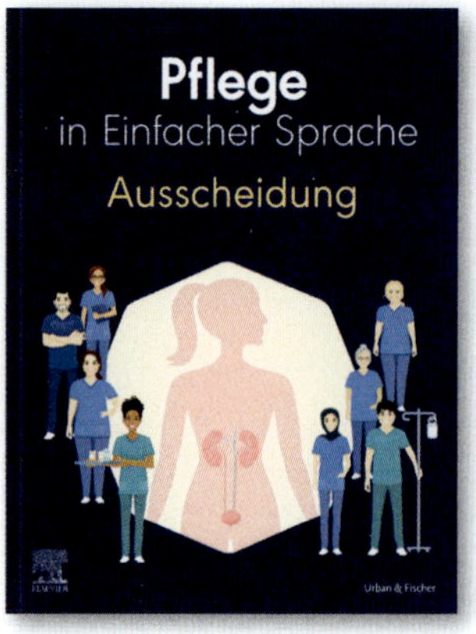

Pflege in Einfacher Sprache

Wörterbuch

Auswahl und Zusammenstellung der Inhalte: Diana Baer, München

Sprachliche Redaktion: Annette Gerstenkorn, Bochum

ELSEVIER

Elsevier GmbH, Bernhard-Wicki-Str. 5, 80636 München, Deutschland
Wir freuen uns über Ihr Feedback und Ihre Anregungen an kundendienst@elsevier.com

ISBN 978-3-437-26706-2
eISBN 978-3-437-18275-4

Wichtiger Hinweis für den Benutzer
Die medizinischen Wissenschaften unterliegen einem sehr schnellen Wissenszuwachs. Der stetige Wandel von Methoden, Wirkstoffen und Erkenntnissen ist allen an diesem Werk Beteiligten bewusst. Sowohl der Verlag als auch die Autorinnen und Autoren und alle, die an der Entstehung dieses Werkes beteiligt waren, haben große Sorgfalt darauf verwandt, dass die Angaben zu Methoden, Anweisungen, Produkten, Anwendungen oder Konzepten dem aktuellen Wissensstand zum Zeitpunkt der Fertigstellung des Werkes entsprechen.
Der Verlag kann jedoch keine Gewähr für Angaben zu Dosierung und Applikationsformen übernehmen. Es sollte stets eine unabhängige und sorgfältige Überprüfung von Diagnosen und Arzneimitteldosierungen sowie möglicher Kontraindikationen erfolgen. Jede Dosierung oder Applikation liegt in der Verantwortung der Anwenderin oder des Anwenders. Die Elsevier GmbH, die Autorinnen und Autoren und alle, die an der Entstehung des Werkes mitgewirkt haben, können keinerlei Haftung in Bezug auf jegliche Verletzung und/oder Schäden an Personen oder Eigentum, im Rahmen von Produkthaftung, Fahrlässigkeit oder anderweitig übernehmen.

Für die Vollständigkeit und Auswahl der aufgeführten Medikamente übernimmt der Verlag keine Gewähr.
Geschützte Warennamen (Warenzeichen) werden in der Regel besonders kenntlich gemacht (®). Aus dem Fehlen eines solchen Hinweises kann jedoch nicht automatisch geschlossen werden, dass es sich um einen freien Warennamen handelt.

Bibliografische Information der Deutschen Nationalbibliothek
Die Deutsche Nationalbibliothek verzeichnet diese Publikation in der Deutschen Nationalbibliografie; detaillierte bibliografische Daten sind im Internet über https://www.dnb.de abrufbar.

23 24 25 26 27 5 4 3 2 1

In ihren Veröffentlichungen verfolgt die Elsevier GmbH das Ziel, genderneutrale Formulierungen für Personengruppen zu verwenden. Um jedoch den Textfluss nicht zu stören sowie die gestalterische Freiheit nicht einzuschränken, wurden bisweilen Kompromisse eingegangen. Selbstverständlich sind **immer alle Geschlechter** gemeint.

Planung: Martina Lauster, München
Projektmanagement: Nicole Kopp, München
Redaktion: Annette Gerstenkorn, Bochum
Bildrechteklärung: Katja Sieger-Schauer, München
Layout: Christine Kosel und Nicole Kopp, München
Herstellung: Kadja Gericke, Dürnau
Satz: Thomson Digital, Noida/Indien
Druck und Bindung: EGEDSA Sabadell, Barcelona/Spanien
Umschlaggestaltung: Favoritbuero, München
Umschlagherstellung: SpieszDesign, Neu-Ulm
Titelbilder: Personen © Volha Hlinskaya/shutterstock

Aktuelle Informationen finden Sie im Internet unter **www.elsevier.de**

Vorwort

Liebe Leserin, lieber Leser,

„Wenn man etwas nicht einfach erklären kann, hat man es nicht verstanden.“ (A. Einstein)
Wir möchten, dass Sie alle Inhalte in der Pflegeausbildung verstehen.
Wir möchten, dass Sie Ihre Prüfung bestehen.
Wir möchten, dass Sie im Beruf richtig handeln und keine Fehler machen.

Dieses Wörterbuch ist deshalb in **Einfacher Sprache** geschrieben.

- Erklärungen der Fachwörter sind leichter zu verstehen als andere Texte.
- Es gibt wenige Fremdwörter.
- **Abbildungen** zeigen die Wirklichkeit in der Praxis.
- Maße und Einheiten sind einfach erklärt.
- **Abbildungen** zeigen Ihnen die Bezeichnungen der Richtungen am menschlichen Körper.

Dieses Wörterbuch ergänzt die Buchreihe Pflege in **Einfacher Sprache**. Damit möchten wir Ihnen helfen, komplizierte Zusammenhänge zu verstehen. So werden Sie sicher für Ihren Berufsalltag und für die Prüfungen.

München, Januar 2023
Lektorat Pflege im Namen aller Mitwirkenden

Hinweise für Leserinnen und Leser

In diesem Wörterbuch finden Sie Erklärungen in Einfacher Sprache für viele pflegerische und medizinische Fachwörter. Die Fachwörter sind alphabetisch sortiert, das heißt nach den Buchstaben von A bis Z.

Viele Fachwörter werden im Alltag als Abkürzungen verwendet. Zum Beispiel für das Fachwort **Elektrokardiogramm** wird die Kurzform **EKG** verwendet. Deshalb finden Sie in diesem Buch oft ein Fachwort an zwei Stellen: als ausführliches Fachwort und als Kurzform.

In den Umschlagklappen finden Sie außerdem folgende hilfreiche Inhalte:

- Abkürzungsverzeichnis. Die Bedeutung von wichtigen Abkürzungen wird erklärt. Zum Beispiel: RR.
- Beispielseite aus dem Wörterbuch. Der Aufbau des Buches wird erklärt.
- Überblick über wichtige Einheiten. Zum Beispiel Kilogramm.
- Wichtige Vorsilben und Endungen. Zum Beispiel hypo- und hyper-.
- Abbildungen mit allen Richtungsbezeichnungen am menschlichen Körper. Zum Beispiel distal und proximal.

Fehler gefunden?

An unsere Inhalte haben wir sehr hohe Ansprüche. Trotz aller Sorgfalt kann es passieren, dass sich ein Fehler einschleicht. Oder dass fachlich-inhaltliche Aktualisierungen notwendig geworden sind.
Wenn ein relevanter Fehler entdeckt wird, stellen wir eine Korrektur zur Verfügung.
Mit diesem QR-Code können Sie die Korrektur schnell abrufen.
https://else4.de/978-3-437-26706-2

Wir sind dankbar für jeden Hinweis. Damit helfen Sie uns, dieses Werk zu verbessern. Bitte richten Sie Ihre Anregungen, Lob und Kritik an folgende E-Mail-Adresse:
kundendienst@elsevier.com

A

Abdomen Bauch

abdominal den Bauch betreffend

Abdominalatmung Bauchatmung

Abduktion die Bewegung eines Körperteils vom Körper weg

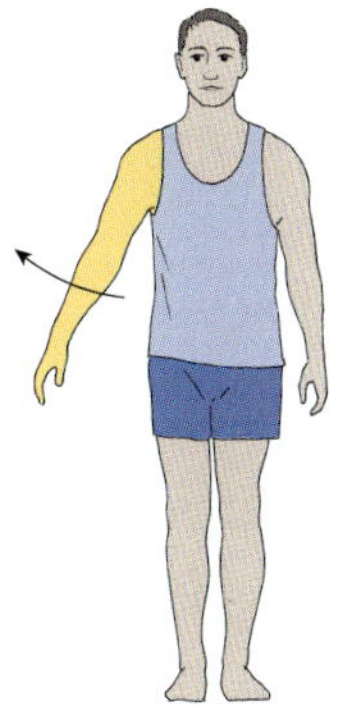

Abb. 1 **Abduktion**
[L190]

Ablatio Entfernung, Abtragung

Abort Fehlgeburt. Zu frühes Ausstoßen des ungeborenen Kindes. Man unterscheidet in Frühabort und Spätabort. **Frühabort:** bis zur 16. Schwangerschaftswoche. **Spätabort:** nach der 16. Schwangerschaftswoche.

Abrasio Ausschabung der Gebärmutter mit einem scharfen Löffel

absolute Arrhythmie Beschleunigte und absolut unregelmäßige Schlagfolge des Pulses. Tritt häufig auf bei Störungen der Erregungsleitung. Und bei Störungen der Erregungsbildung.

absorbieren aufnehmen

Abstinenz Verzicht

Abstrich Entnahme von Hautzellen oder Sekreten mit einem Wattestäbchen. Der Abstrich erfolgt meistens in Rachen, Nase oder After. Das Wattestäbchen ist steril. Es wird im Labor auf Keime oder Zellveränderungen untersucht.

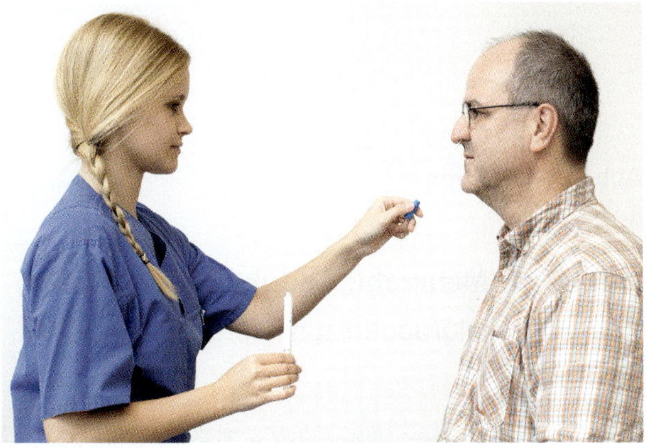

Abb. 2 **Abstrich** Hier: Abstrich aus der Nase.
[K115]

Abszess Eiteransammlung in einer Körperhöhle

Abusus Missbrauch. Falsche Anwendung von: Alkohol, Drogen oder Medikamenten.

ACE **A**ngiotension-I-**C**onverting-**E**nzym
Das Enzym regelt den Wasser-Elektrolyt-Haushalt und den Blutdruck.

ACE-Hemmer Medikament zur Senkung des Blutdrucks

Achalasie Funktionsstörung der Muskulatur der Speiseröhre. Dabei erschlafft der untere Ösophagussphinkter (Schließmuskel der Speiseröhre) nicht ausreichend.

acholisch Gallenflüssigkeit fehlt. Oder es ist zu wenig Gallenflüssigkeit vorhanden.

Acute Respiratory Distress Syndrome (kurz ARDS) akutes Lungenversagen

Adaption Anpassung

Adduktion Bewegung zum Körper hin

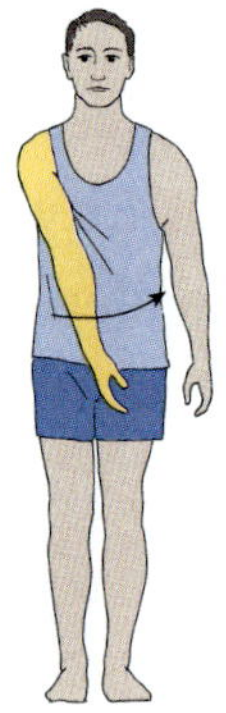

Abb. 3 **Adduktion**
[L190]

Adduktor (Mehrzahl: Adduktoren) Muskeln oder Muskelgruppen zum Heranziehen eines Körperteils

Adenokarzinom Bösartiger Tumor. Die Zellveränderung geht vom Drüsengewebe aus.

Adenom Gutartige Wucherung. Die Zellveränderung geht aus vom Drüsengewebe oder der Schleimhaut des Magen-Darm-Trakts.

Adenosintriphosphat (kurz ATP) Ein chemisches Molekül. Es stellt Energie in jeder Zelle bereit.

ADH **Anti**-**d**iuretisches **H**ormon
Das Hormon ADH wird im Hypothalamus (Abschnitt des Zwischenhirns) gebildet. ADH wird in den Hinterlappen der Hirnanhangsdrüse (Hypophyse) gespeichert. Von dort wird ADH in das Blut abgegeben. ADH reguliert im Körper den Wasserhaushalt und den Elektrolythaushalt. Diese Regulierung geschieht durch Einwirken auf die Nieren.

Adhärenz Patient und Arzt oder Pflegefachperson erstellen einen gemeinsamen Behandlungsplan. Dieser Plan wird von beiden Seiten eingehalten.

Adhäsion Verklebungen oder Verwachsungen von Gewebe oder Organen

Adipositas Fettleibigkeit oder Fettsucht

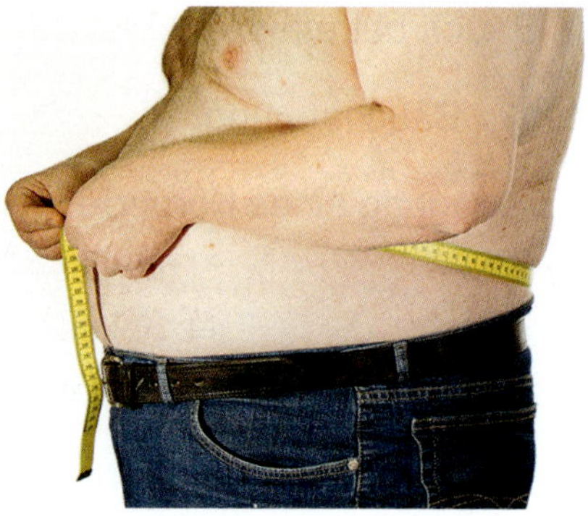

Abb. 4 **Adipositas**
[J787]

Adipsie Durstgefühl fehlt oder ist verringert. Zum Beispiel bei Schädigung des Hypothalamus oder im Alter. Es besteht die Gefahr der Dehydratation des Körpers.

Adrenalin Ein Hormon. Es wird in den Nebennieren gebildet. Bei Stress wird Adrenalin vermehrt ins Blut abgegeben.

AEP **a**mbulant **e**rworbenen **P**neumonie
Eine Lungenentzündung, die im häuslichen Umfeld erworben wird.

aerob mit Sauerstoff
Gegenteil: anaerob (ohne Sauerstoff)

Aerosol Arzneimittelform mit festen oder flüssigen Stoffen in einem Gas. Zum Beispiel ein Inhalator bei Atembeschwerden.

Advanced Nursing Practice (kurz ANP) Akademisch ausgebildeter Pflegeexperte mit Master-Abschluss

affektive Störung Psychische Störung der Gefühlswelt. Zum Beispiel: übermäßige Trauer oder übermäßige gute Laune über längere Zeit. Zum Beispiel: Depression oder Manie.

afferent zu einem Organ hinführend

Agglutination Verklumpung von Blutkörperchen

Agnosie Funktionsstörung des Gehirns. Der Patient kann Sinneseindrücke nicht mehr erkennen.

Agonie Phase direkt vor dem Sterben

Agonist Bezeichnung einer bestimmten Muskelbewegung. Hier: Spieler. Der Spieler zieht sich zusammen und zieht das Körperteil in die gewünschte Richtung.

Agoraphobie Platzangst

AiO-Mischung **A**ll-**i**n-**O**ne Mischung ist eine fertig gemischte Lösung zur parenteralen Ernährung.

Airstacking Technik zum Abhusten. Dadurch wird Schleim gelockert.

Akinese Starke Bewegungsarmut: Bewegungen sind verlangsamt oder fehlen. Akinese ist typisch bei der Erkrankung Morbus Parkinson.

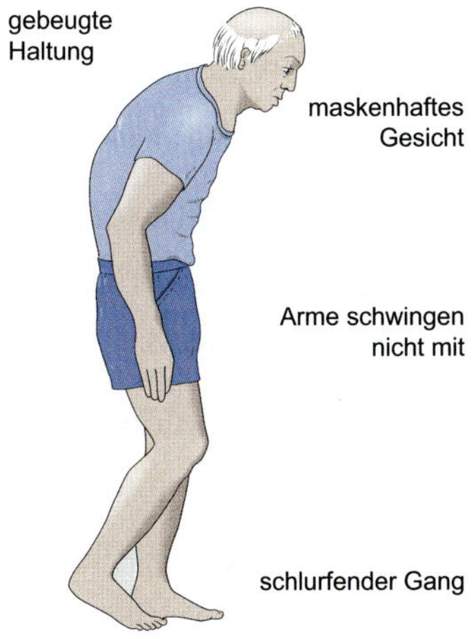

Abb. 5 **Akinese**
[L190]

Akren Alle äußeren Körperteile. Zum Beispiel: Kinn, Finger und Zehen.

Aktionspotential Ein Nervenimpuls, der für die Weiterleitung von Reizen verantwortlich ist.

Akupunktur Ein Teilgebiet der traditionellen chinesischen Medizin. Zur Linderung von Symptomen werden Nadeln in festgelegte Hautpunkte gestochen.

akustisch das Hören betreffend

akut schnell und plötzlich auftretend

akutes Abdomen Lebensgefährlich schmerzhafter Zustand des Bauchraumes mit vielen Symptomen. Zum Beispiel: harter Bauch, starke Bauchschmerzen, Übelkeit und Kreislaufversagen.
Mögliche **Ursachen** sind: Tumor im Bauchraum, Blinddarmdurchbruch, Magengeschwür, eingeklemmte Eierstockzyste, Darmverschluss, unterbrochene Durchblutung in den Bauchgefäßen.

akutes Koronarsyndrom Unklare Schmerzen im Brustkorb durch Verengung einer Koronararterie. Mögliche **Ursachen** sind: instabile Angina pectoris, plötzlicher Herztod oder Herzinfarkt.

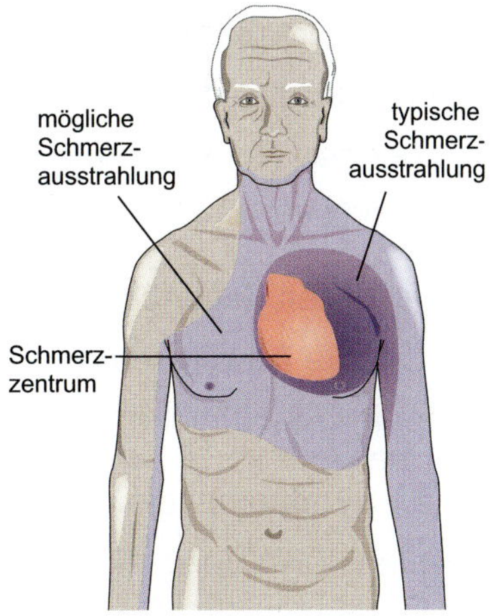

Abb. 6 **Akutes Koronarsyndrom**
[L157]

Albumin Ein Eiweiß. Albumin ist wichtig für die Verteilung von Flüssigkeit im Körper. Albumin transportiert Stoffe im Blut. Zum Beispiel: Hormone oder Medikamente.

Albuminurie Albumin wird mit dem Urin ausgeschieden. Es ist im Urin nachweisbar.

Aldosteron Ein Hormon. Aldosteron wird in der Nebennierenrinde produziert. Wirkung in der Niere: Natrium wird zurückgehalten. Kalium wird vermehrt ausgeschieden. Dadurch erhöht sich das Flüssigkeitsvolumen in den Gefäßen. Dadurch steigt der Blutdruck.

Alginate Wundauflagen. Alginate reinigen die Wunde. Und sie fördern die Wundheilung. Alginate quellen auf und saugen dadurch Wundflüssigkeit auf.

Algurie Schmerzen bei der Miktion (Ablassen des Urins)

Alkalische Phosphatase (kurz AP) Ein Enzym für den Stoffwechsel des Körpers. Der AP-Wert wird im Blut gemessen. Veränderungen dieses Blutwertes zeigen an: Gallenerkrankungen, Lebererkrankungen und Veränderungen des Knochenstoffwechsels.

Alkalose Störung des Säure-Basen-Haushaltes. Das Blut ist stärker basisch. Der pH-Wert im Blut steigt über den Normalbereich. Der Normalbereich liegt über 7,44.

Allergie Überempfindlichkeit gegenüber bestimmten Stoffen: zu starke Abwehrreaktion des Immunsystems auf ungefährliche Stoffe.

Allgemeinsymptome Symptome, die den ganzen Körper betreffen. Zum Beispiel: Müdigkeit, Schwäche.

Alopezie Übermäßiger Haarausfall: kann den ganzen Körper betreffen.
Haarausfall an der Kopfhaut führt zur Glatzenbildung.

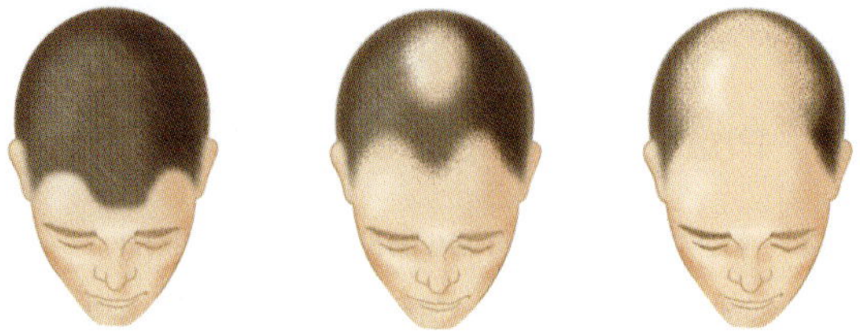

Abb. 7 **Alopezie**
[L238]

ALS **a**myothrophe **L**ateral**s**klerose
Erkrankung des Nervensystems. Die Motoneuronen werden dabei geschädigt. Motoneuronen sind Nervenzellen, die für die Kontrolle und Steuerung von Muskeln und Bewegungen zuständig sind.
Die Krankheit ist unheilbar.

Alveolen Lungenbläschen. In den Alveolen erfolgt der Gasaustausch.

Alveolitis Entzündung der Lungenbläschen

ambulant nicht stationär
Wenn ein Patient ambulant behandelt wird, dann darf er am gleichen Tag nach Hause.

Ambulant erworbene Pneumonie (kurz AEP) Lungenentzündung, die außerhalb des Krankenhauses erworben wurde.

Ambulanter Pflegedienst Pflegefachpersonen behandeln den Patienten zu Hause. Der Patient muss für die pflegerische Versorgung nicht ins Krankenhaus oder in eine Pflegeeinrichtung.

Amenorrhö Ausbleiben der Regelblutung (Menstruation)

Amiodaron Ein Medikament. Amiodaron wird zur Behandlung von Herzrhythmusstörungen eingesetzt.

Amnesie Gedächtnisverlust. Eine Amnesie wird ausgelöst durch: Verletzungen, Entzündungen, Vergiftungen oder Erkrankungen wie Epilepsie und Demenz.

Amnionflüssigkeit Fruchtwasser. Die Amnionflüssigkeit umgibt das Kind im Mutterleib.

Amniozentese Fruchtwasseruntersuchung. Fruchtwasser wird durch die Bauchdecke der Mutter entnommen. Die Flüssigkeit wird untersucht auf: Zellveränderungen oder mögliche Erkrankungen des Kindes.

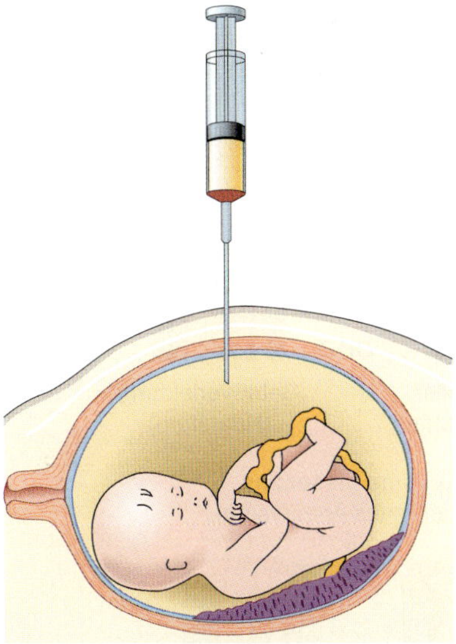

Abb. 8 **Amniozentese**
[L190]

Amöbiasis Infektionskrankheit, die durch Amöben (Parasiten) hervorgerufen wird.

Amphetamin Droge, die das Bewusstsein aktiviert. Aufputschmittel.

Ampulla recti Oberster Teil des Mastdarms. Stuhlgang wird in der Ampulla recti gespeichert bis zur Entleerung.

Ampulle Kleines Glasgefäß. Arzneimittel zur parenteralen Verabreichung werden in Ampullen aufbewahrt.

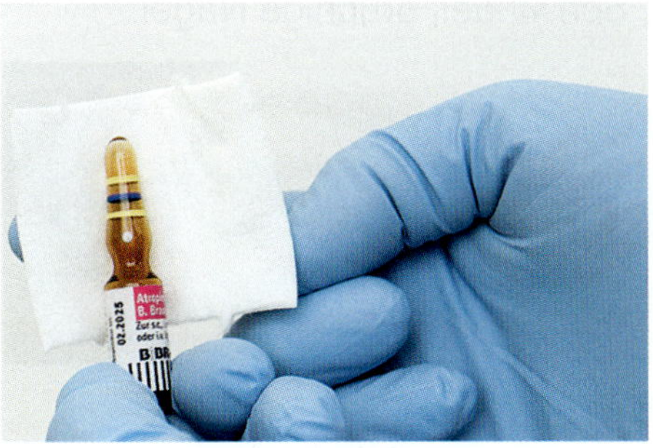

Abb. 9 **Ampulle**
[K115]

Amputation vollständige Entfernung eines Körperteils

Amyothrophe Lateralsklerose (kurz ALS) Erkrankung des Nervensystems. Die Motoneuronen werden dabei geschädigt. Motoneuronen sind Nervenzellen, die für die Kontrolle und Steuerung von Muskeln und Bewegungen zuständig sind.
Die Krankheit ist unheilbar.

anaerob ohne Sauerstoff
Gegenteil: aerob (mit Sauerstoff)

Analgesie Schmerzempfindlichkeit wird aufgehoben, Schmerzlosigkeit

Analgetika Schmerzmittel

Analprolaps Der Analkanal fällt aus dem Anus.

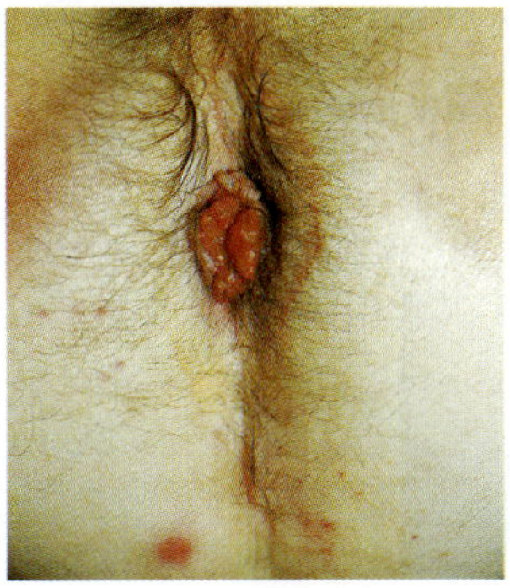

Abb. 10 **Analprolaps**
[M174]

Anämie Niedrige Anzahl an roten Blutkörperchen. Wird auch als Blutarmut bezeichnet. Symptome sind: Blässe, Müdigkeit, Leistungsminderung, Schwindel, brüchige Nägel.

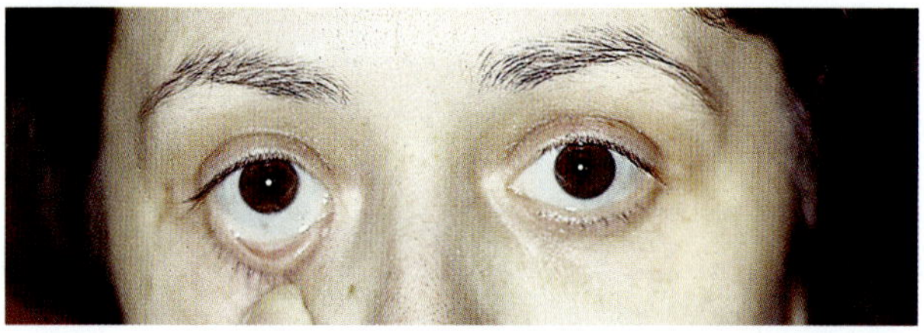

Abb. 11 **Anämie**
[R415]

Anamnese Sammlung von Informationen über den Patienten. Inhalt sind Daten über: Erkrankungen, soziales Umfeld, Lebensumstände, Pflegebedarf.

anaphylaktischer Schock Eine allergische Reaktion mit Kreislaufversagen und Organversagen. Der anaphylaktische Schock ist ein Notfall.

Anästhesie Betäubung: Ausschaltung der Schmerzempfindung vor allem durch Narkose.

Anästhesiepflege Anästhesiepflegefachpersonen bereiten den Patienten für die bevorstehende Narkose vor. Sie assistieren dem Anästhesisten.
Sie unterstützen bei der Aufrechterhaltung der Narkose. Sie überwachen den Patienten nach der Narkose im Aufwachraum.

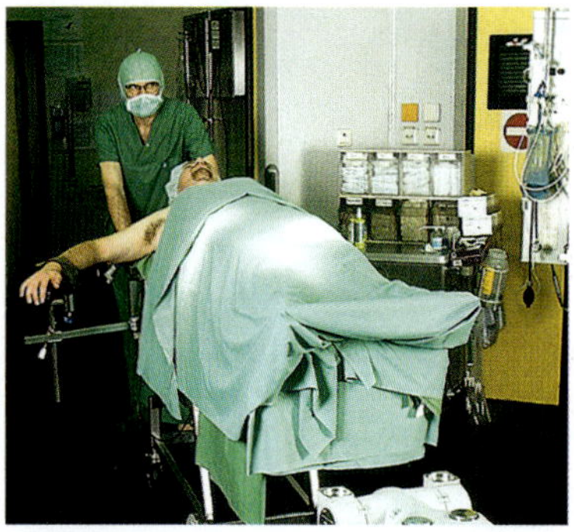

Abb. 12 **Anästhesiepflege**
[K183]

Anastomose Verbindung zwischen zwei Blutgefäßen, Lymphgefäßen oder Nerven. Eine Anastomose kann im Körper vorkommen. Oder sie wird in einer Operation angelegt.

Anastomoseninsuffizienz Eine Anastomose ist undicht.

Anatomie Lehre vom Bau der Körperteile

androgen männlich

Aneurysma Ausweitung eines Blutgefäßes. Es gibt verschiedene Formen.
Wenn ein Aneurysma reißt, dann ist das ein medizinischer Notfall.

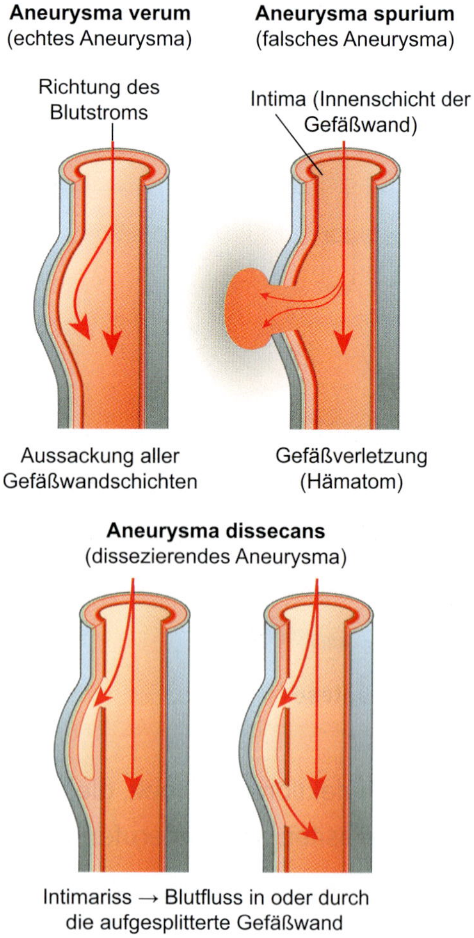

Abb. 13 **Aneurysma** Es gibt verschiedene Formen.
[L138]

Angina Pectoris Brustenge. Ursache ist: eine Verengung der Herzkranzgefäße. Der Herzmuskel wird dann nicht mehr ausreichend mit Sauerstoff versorgt.

Angina tonsillaris akute Mandelentzündung

Angiografie Röntgenuntersuchung zur Darstellung von Blutgefäßen. Dazu wird ein Kontrastmittel injiziert.

Angiologie Lehre von: Arterien, Kapillaren, Venen, Lymphgefäßen.

Angiotensin Ein Hormon. Angiotensin hilft bei der Aufrechterhaltung des Blutdrucks.

Anorexie verminderter Appetit
Anorexia nervosa, häufig kurz Anorexie: Magersucht

Anosognosie Der Patient ist unfähig, seine Erkrankung zu erkennen.

ANP **A**dvanced **N**ursing **P**ractice
Akademisch ausgebildeter Pflegeexperte mit Master-Abschluss

Antagonist Muskulärer Gegenspieler. Der Antagonist hebt die Wirkung des Agonisten auf und führt eine Gegenbewegung aus.

Antazidum (Mehrzahl: Antazida) Medikament zur Hemmung von Magensäurebildung. Zum Beispiel: Pantoprazol.
Antazida werden eingesetzt bei: Sodbrennen, Magengeschwür, Refluxkrankheit.

anterior vorne, vorderer

Anteversion Beugung, Drehung nach vorne

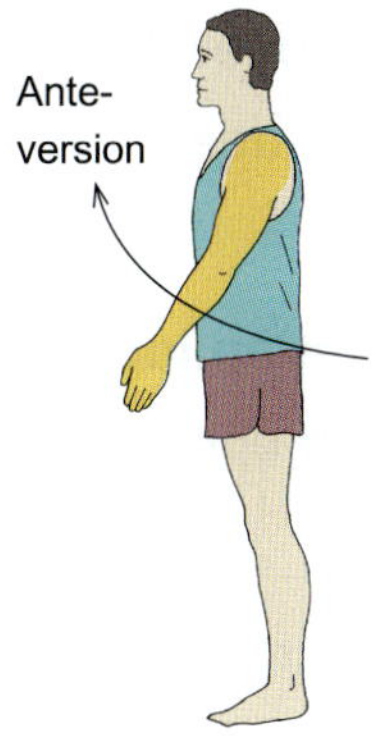

Abb. 14 **Anteversion**
[L190]

Anthropologie Lehre des Menschen.
Anthroposophische Medizin greift vor allem auf Naturheilmethoden zurück.

Anthropometrie Die Lehre von der Ermittlung der Maße des menschlichen Körpers. Und von der Anwendung der Maße.

Antiarrythmikum Medikament zur Therapie von Herzrhythmusstörungen.

Anticholinergikum (Mehrzahl: Anticholinergika) Medikament zur Hemmung des Parasympathikus

Antidepressivum (Mehrzahl: Antidepressiva) Medikament, das vor allem zur Behandlung von Depressionen verwendet wird.

Antibiotikum (Mehrzahl: Antibiotika)
Medikament gegen Bakterien

Antidiuretisches Hormon (kurz ADH) Das Hormon ADH wird im Hypothalamus (Abschnitt des Zwischenhirns) gebildet. ADH wird in den Hinterlappen der Hirnanhangsdrüse (Hypophyse) gespeichert. Von dort wird ADH in das Blut abgegeben. ADH reguliert im Körper den Wasserhaushalt und den Elektrolythaushalt. Diese Regulierung geschieht durch Einwirken auf die Nieren.

Antidot Gegenmittel, Gegengift

Antiemetikum (Mehrzahl: Antiemetika) Medikament zur Unterdrückung des Brechreizes und Erbrechens

Antiepileptikum (Mehrzahl: Antiepileptika) Medikament zur Unterdrückung epileptischer Anfälle

Antihistaminikum (Mehrzahl: Antihistaminika) Medikament gegen Allergiereaktionen

Antihypertensivum (Mehrzahl: Antihypertensiva) Medikament zur Behandlung von Bluthochdruck (Hypertonie)

Antikoagulanzium (Mehrzahl: Antikoagulantien) Medikament zur Hemmung der Blutgerinnung

Antikoagulation Gerinnungshemmung. Beugt der Entstehung von Blutgerinnseln vor.

Antimykotikum (Mehrzahl: Antimykotika) Medikament gegen Pilzerkrankungen

Antiseptikum Mittel zur Desinfektion

Antitussivum (Mehrzahl: Antitussiva) Medikament gegen Husten

Antrum Magenausgang

Anurie Reduzierung der Urinmenge auf weniger als 100 ml.
Leitsymptom beim akuten Nierenversagen: urologischer Notfall!

Anus After

Anus praeter Künstlicher Darmausgang. Wird auch Enterostoma genannt.

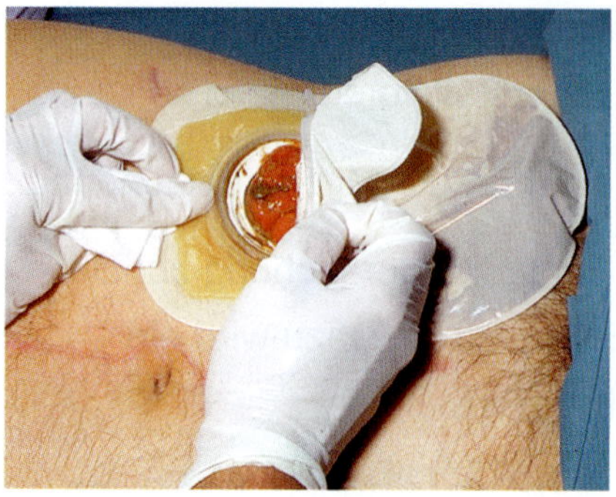

Abb. 15 **Anus praeter**
[K183]

Aorta Die Aorta ist die größte Schlagader (Arterie) im Körper. Die Aorta leitet das Blut aus der linken Herzkammer (Ventrikel) in die Gefäße des großen Blutkreislaufs.

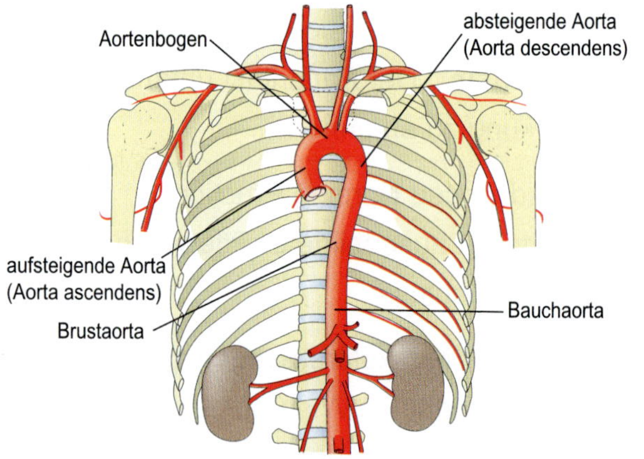

Abb. 16 **Aorta**
[L190]

Aortenisthmusstenose Verengung der Aorta im Bereich des Aortenbogens. Fehlbildung eines Gefäßes.

Aortenklappe Eine Herzklappe. Das Herz hat 4 Herzklappen. Die Aortenklappe trennt die linke Herzkammer von der der Aorta. Sauerstoffreiches Blut fließt durch die Aortenklappe und versorgt den ganzen Körper. Die Aortenklappe verhindert den Rückfluss des Blutes während der Diastole (Erschlaffungsphase).

AP **A**lkalische **P**hosphatase Ein Enzym für den Stoffwechsel des Körpers.
Der AP-Wert wird im Blut gemessen. Veränderungen dieses Blutwertes zeigen an: Gallenerkrankungen, Lebererkrankungen und Veränderungen des Knochenstoffwechsels.

Aphasie Sprachstörung

Aphthe (Mehrzahl: Aphthen) schmerzhafte Schädigung der Mundschleimhaut

Apnoe Atemstillstand

Apoplex, apoplektischer Insult Schlaganfall

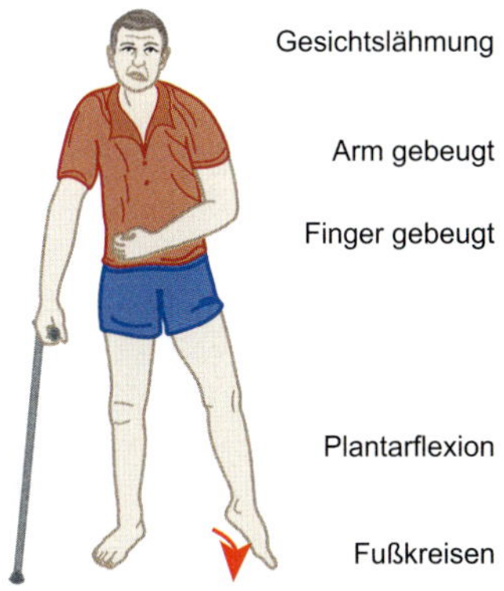

Abb. 17 **Apoplex.** Die Abbildung zeigt die möglichen Folgen eines Schlaganfalls.
[L190]

Appendix Wurmfortsatz

Appendizitis Blinddarmentzündung

Applikationsart Ort und Art der Anwendung, wie ein Medikament verabreicht wird. Zum Beispiel intravenös.

Apraxie Neurologische Störung. Bewegungen können nicht zielgerichtet ausgeführt werden.

äquivalent gleichwertig

Arachnoidea Spinnwebenhaut. Die Arachnoidea ist die mittlere der 3 Hirnhäute.

Acute Respiratory Distress Syndrome (kurz ARDS) Englische Abkürzung für: Akutes Lungenversagen.

Arrhythmie Herzrhythmusstörung. Das Herz schlägt unregelmäßig.

Artefakt Störung im EKG. Sie ist nicht medizinisch begründet. Entsteht durch Bewegungen des Patienten oder falsch aufgeklebte Elektroden.

Arteria brachialis Arterie (Schlagader) des Oberarms

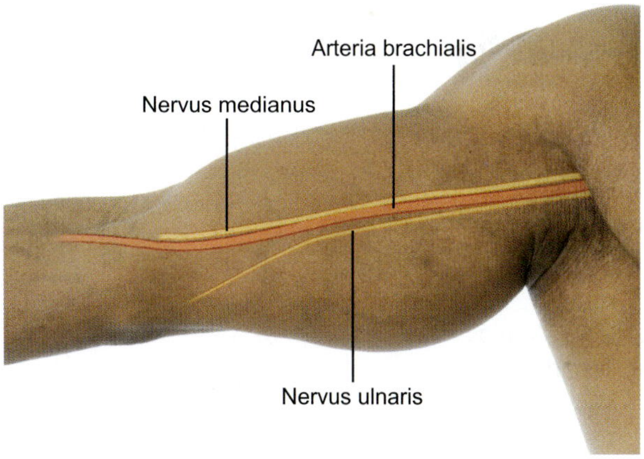

Abb. 18 **Arteria brachialis**
[G1202]

Arteria carotis Halsschlagader

Arteria femoralis Arterie (Schlagader) des Oberschenkels

Arteria radialis Arterie an der Speiche. Wird häufig zum Ertasten des Pulses genutzt.

Arteria renalis Nierenarterie

Arteria temporalis Schläfenarterie

Arterien Gefäße, die vom Herzen wegführen.
Das Blut in den Arterien ist sauerstoffreich.

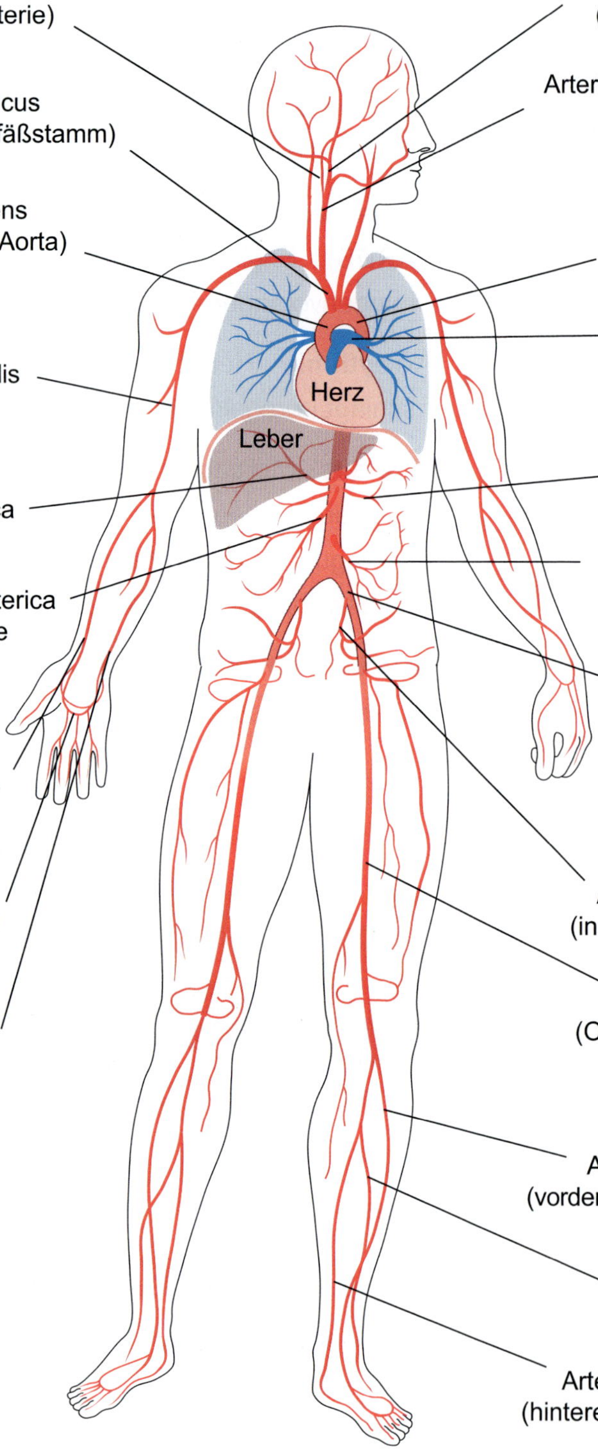

Abb. 19 **Arterien**
[L190]

Arteriolen sehr feine Verzweigungen der Arterien

Arteriosklerose Verengung der arteriellen Blutgefäße. Die Arteriosklerose tritt vor allem an folgenden Stellen auf: an den Herzkranzgefäßen, an der Halsschlager und an den großen Beinarterien.

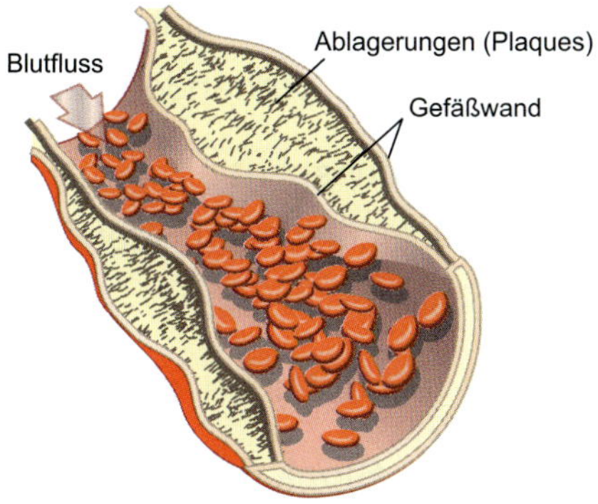

Abb. 20 **Arteriosklerose**
[L138]

Arthrose Gelenkerkrankung. Die Gelenkknorpel werden abgenutzt und zerstört. Die Innenschicht der Gelenkkapsel entzündet sich. Es kann zu einer vollständigen Versteifung des Gelenks kommen.

ASE **A**temstimulierende **E**inreibung
Pflegemaßnahme zur Verbesserung der Körperwahrnehmung des Patienten. Einreiben von Brust und Rücken in rhythmischen Bewegungen.

Asepsis Keimfreiheit. Das Arbeitsumfeld ist keimfrei.

Aspiration

1. Verschlucken eines Stoffes: Eindringen von Stoffen in die Atemwege beim Einatmen.
2. Abziehen eines Stoffes mithilfe einer Spritze.

Assessement Ein Instrument zum Einschätzen, Messen und Bewerten von Pflegesituationen.

Assoziationsfelder Teile der Gehirnrinde. Aufgabe: Informationsverarbeitung von Sinneseindrücken.

Asthma chronische entzündliche Erkrankung der Atemwege

asymmetrisch unterschiedlich auf beiden Seiten einer Achse
Gegenteil: symmetrisch (gleich, ebenmäßig)

Asystolie Keine Kontraktion des Herzens = Herzstillstand. Die Asystolie erkennt man im EKG an der Nulllinie.

Aszites Bauchwassersucht. Ansammlung von Flüssigkeit in der freien Bauchhöhle.

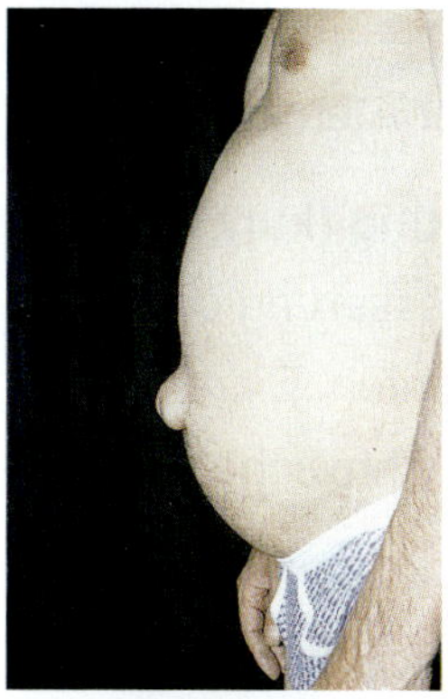

Abb. 21 **Aszites** Durch den hohen Druck im Bauchraum entsteht manchmal ein Nabelbruch.
[R415]

AT-1-Blocker Medikament zur Blutdrucksenkung
AT-1-Blocker fördern die Ausscheidung von Wasser und Mineralstoffen. Die Gefäße werden dadurch entlastet.
Außerdem hemmen AT-1-Blocker die Bildung des Hormons Angiotensin II. Die Gefäße werden dadurch erweitert.

Ataxie Störungen der Koordination von Bewegungen.
Ursache: Schädigung der Nervenzellen im Kleinhirn und Rückenmark. Durch diese Schädigung können Bewegungen nicht mehr koordiniert werden.

Atelektasen Die Lunge oder ein Teil der Lunge ist zusammengefallen (kollabiert). Deshalb wird die Lunge oder der Teil der Lunge nicht mehr mit Luft gefüllt.

Atemfrequenz Anzahl der Atemzüge, die der Patient in 1 Minute macht.

Atemintensität Angabe zur Atemtiefe des Patienten

Atemrhythmus Abfolge der Atemzüge

Atemstimulierende Einreibung (kurz ASE)
Pflegemaßnahme zur Verbesserung der Körperwahrnehmung des Patienten. Einreiben von Brust und Rücken in rhythmischen Bewegungen.

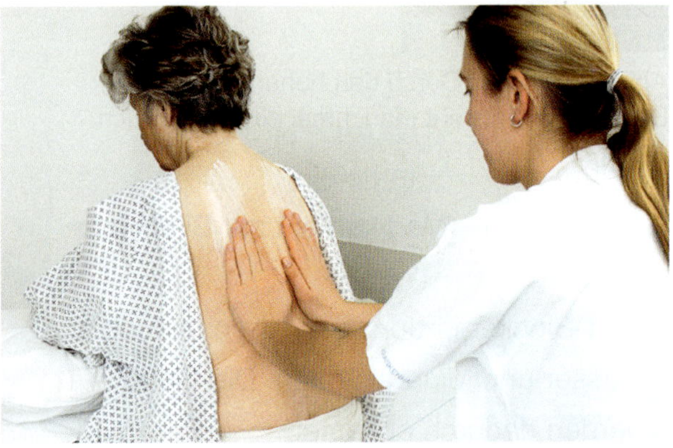

Abb. 22 **Atemstimulierende Einreibung** ASE [K115]

Atemtyp Art und Weise, wie der Patient einatmet und ausatmet. Zum Beispiel: Bauchatmung.

Atmungssystem Das Atmungssystem beinhaltet: Nase, Mund, Rachen, Kehlkopf, Bronchien, Bronchiolen, Lungenbläschen und Kapillaren.
Das Atmungssystem ermöglicht die Aufnahme von Sauerstoff. Und es ermöglicht die Abgabe von Kohlendioxid.

Atonie Schwäche, Erschlaffung. Es ist keine Spannung im Muskel vorhanden.

ATP **A**denosin**trip**hosphat
Chemisches Molekül, das in jeder Zelle Energie bereitstellt.

atraumatisch ohne Wunde, ohne Verletzung

atrioventrikulärer Block (kurz AV-Block)
Herzrhythmusstörung. Teilweise oder vollständige Blockierung der Erregungsleitung am Atrioventrikularknoten.

Atrophie Abnahme oder Rückgang der Gewebemasse

atypisch nicht gewöhnlich, nicht üblich

auditiv das Hören betreffend

Aufwachraum Patienten werden nach Operationen mit Narkose in einem Aufwachraum überwacht auf: Atmung, Bewusstsein, Puls, Blutdruck, Schmerzen, Temperatur.

Ausfuhr Vom Körper ausgeschiedene Flüssigkeiten. Zum Beispiel: Urin, Stuhl, Wundsekret, Erbrochenes, Schweiß, Blut, Punktate, Abfluss von Sonden.

Auskultation Abhören von Organen mit dem Stethoskop

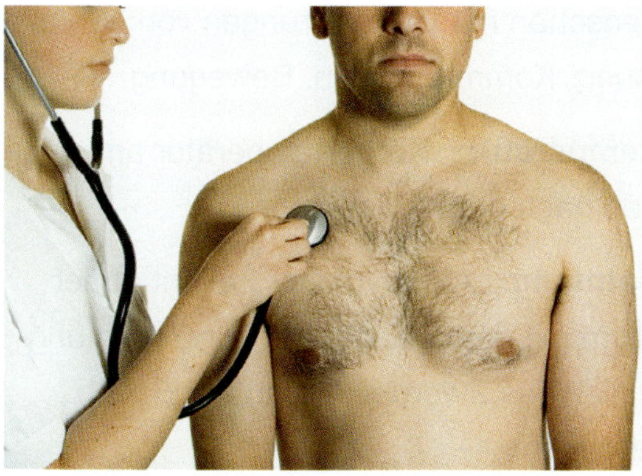

Abb. 23 **Auskultation** Hier wird die Lunge mit dem Stethoskop abgehört.
[J747]

Autoimmunerkrankung Die Ursache von Autoimmunerkrankungen liegt im eigenen Immunsystem. Der Körper greift gesunde Zellen an und zerstört diese.

autonom selbstständig, eigenverantwortlich

Autopsie Untersuchung einer Leiche. Dabei wird die genaue Todesursache geklärt.

Auxiliaratmung Atmung mit Unterstützung der Atemhilfsmuskulatur vor allem bei schwerer Atemnot.

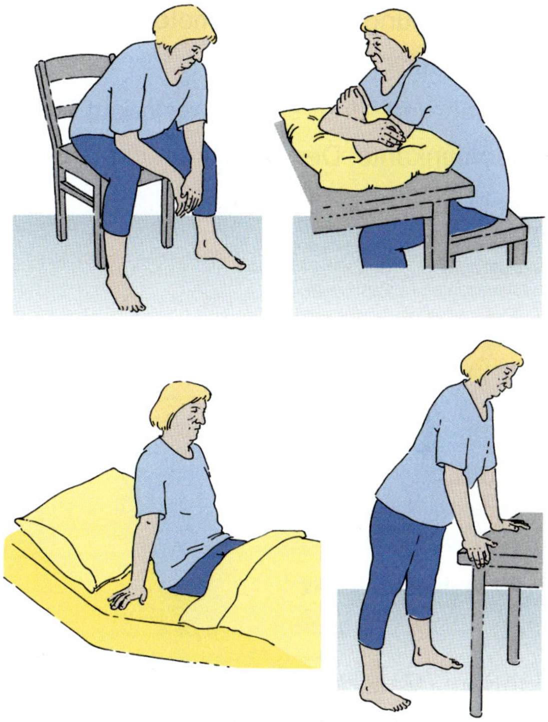

Abb. 24 **Auxiliaratmung** Bei Atemnot nimmt der Patient oft eine Position ein, die
die Atemhilfsmuskulatur aktiviert.
[L119]

AV-Block Herzrhythmusstörung. Teilweise oder vollständige Blockierung der Erregungsleitung am Atrioventrikularknoten.

Azidose krankhafte Übersäuerung des Körpers

B

Babinski-Reflex Krankhafter Reflex. Er tritt bei Schädigung des ersten motorischen Neurons auf.
Durchführung: Untersucher bestreicht äußere Fußsohlenkante. Der Patient streckt Großzehe in Richtung Fußrücken.

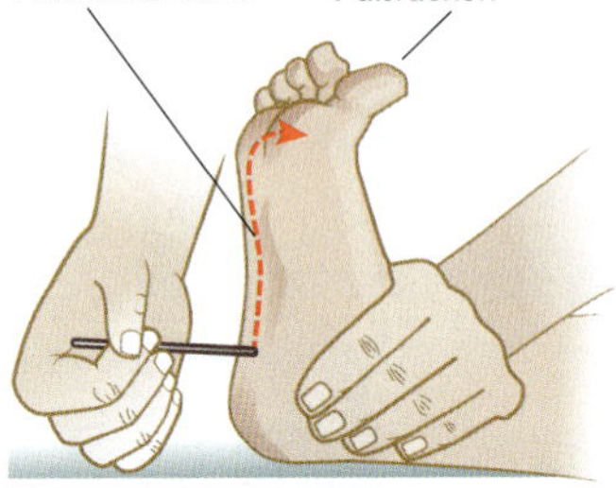

Abb. 25 **Babinski-Reflex**
[L215]

Bakterium (Mehrzahl: Bakterien) Bakterien sind Lebewesen, die beim Menschen Krankheiten auslösen können. Bakterien kommen aber auch auf der Haut vor. Oder im Darm. Das ist normal. Bakterien sind lebenswichtig und halten die Gesundheit des Körpers im Gleichgewicht.

Balken Querverlaufendes Fasersystem im Gehirn. Es verbindet die beiden Großhirnhemisphären und dient dem Informationsaustausch.

Bar Einheit zur Messung von Druck

Barthel-Index Bewertungsverfahren (Assessement)
Instrument zur Erhebung von Einschränkungen des täglichen Lebens. Zum Beispiel: Essen und Trinken, Transfer vom Bett zum Rollstuhl, Harnkontrolle, Körperpflege.
Das Ergebnis gibt Auskunft über die Selbstständigkeit eines Patienten im Alltag.

basal grundlegend

Basale Stimulation Pflegekonzept zur Förderung und Aktivierung schwer beeinträchtigter Menschen mit Veränderungen von: Wahrnehmung, Kommunikation, Bewegung.

Basaltemperatur Körpertemperatur am Morgen nach dem Aufstehen.

Bauchatmung Atemtyp: Der Patient atmet vor allem mit dem Bauch. Bei der Einatmung senkt sich das Zwerchfell. Und der Bauch wölbt sich vor.

Bedside Test Laboruntersuchung direkt am Bett des Patienten (Englisch: *bedside*). Das Ergebnis liegt sofort vor.
Vor jeder Bluttransfusion macht der Arzt einen Bedside-Test zur Bestimmung der Blutgruppen. Die Blutgruppe aus der Blutkonserve und die Blutgruppe des Empfängers werden geprüft.

Belastungsdyspnoe Atemnot bei Anstrengung

benigne Gutartig. Zum Beispiel gutartige Tumore.

Bereichspflege Zimmerpflege. Innerhalb einer Schicht ist die Pflegefachperson für bestimmte Zimmer und Patienten zuständig. Sie übernimmt alle pflegerischen Aufgaben.

Bereitschaftsdienst Zeit, in der man bei Bedarf sofort zum Dienst erscheinen muss.

Betablocker Medikament zur Behandlung von Herz-Kreislauf-Erkrankungen. Betablocker senken den Blutdruck.

Betäubungsmittel (kurz BTM) Medikamente, die das Bewusstsein oder die Stimmung verändern. Und sehr starke Schmerzmittel. Zum Beispiel Morphin.
Betäubungsmittel können schnell abhängig machen. Betäubungsmittel müssen in einem abschließbaren Schrank aufbewahrt werden. Jede Entnahme muss dokumentiert werden.

Bettlägerigkeit Dauerhafter Zustand. Die meiste Zeit des Tages wird im Bett verbracht. Der Zustand ist nicht freiwillig.

Bigeminus Zwillingspuls: zwei dicht aufeinanderfolgende Herzschläge mit anschließender Pause. Der Zwillingspuls tritt typischerweise auf bei einer Überdosierung von Digitalis. Digitalis ist ein Medikament zur Stärkung der Herzkraft.

Bilanzierung Bei einem Patienten werden über den Tag gemessen und dokumentiert: die Einfuhr und die Ausfuhr aller Flüssigkeiten. Positive Bilanz: Die Einfuhr ist größer als die Ausfuhr. Negative Bilanz: Die Einfuhr ist geringer als die Ausfuhr.

MARIENKRANKENHAUS
Klinik für Innere Medizin
Station:

Flüssigkeitsbilanzierung

Name:	Datum:
	Trinkmengenbeschränkung:

Einfuhr			Ausfuhr		
Zeit	Was? Wie?	Hz.	Zeit	Was? Wie?	Hz.
Summe Einfuhr:		ml	Summe Ausfuhr:		ml
Bilanzsumme					ml

Tasse	= 120 ml	Enteral	= E	Eintrag mit Bleistift	= hingestellt
Glas	= 180 ml	Enteral Sonde	= ES	Eintrag mit Kugelschreiber	= getrunken, gegeben
Schnabelbecher	= 250 ml	Parenteral	= P		
Suppentasse	= 300 ml	Urin	= U		
Nierenschale	= 600 ml	Stuhl	= S		

Abb. 26 **Bilanzierung** Beispiel für ein Bilanzierungsprotokoll
[K115]

Bilirubin Gallenfarbstoff

Bilirubinurie Ausscheidung von Bilirubin im Urin

Biografiearbeit Beschäftigung mit der Lebensgeschichte des Patienten

Biopsie chirurgischer Eingriff zur Entnahme und Untersuchung von Gewebe

Biot-Atmung Atemstörung: Einige tiefe und regelmäßige Atemzüge. Dann folgt eine längere Atempause.

Blaseninstillation Einbringen einer Medikamentenlösung über einen Katheter in die Blase

Blasenpunktion Punktion der Harnblase durch die Bauchdecke. Ziel: Entnahme einer sterilen Urinprobe oder Legen eines Katheters.

Blutdruck (RR) Druck des Blutes auf das Gefäßsystem

Blutgasanalyse (kurz BGA) Blutuntersuchung mit Messung von: pH-Wert, Säure-Basen-Wert, Gasverteilung von Sauerstoff und Kohlendioxid. Die Untersuchung wird von Pflegefachpersonen auf Intensivstation selbstständig durchgeführt.

Blut-Hirn-Schranke Grenze zwischen Blutkreislauf und zentralem Nervensystem

Blutkörperchen Bestandteil des Blutes

Blutkörperchensenkungsgeschwindigkeit (kurz Blutsenkung oder BSG) Angabe, wie schnell die roten Blutkörperchen absinken.

Blutkultur Laboruntersuchung auf Keime

Blutplasma flüssiger Teil des Blutes ohne Blutkörperchen

Blutserum Blutplasma nach Entfernung von Gerinnungsfaktoren und weiteren Bestandteilen

BGA **B**lut**g**as**a**nalyse
Blutuntersuchung mit Messung von: pH-Wert, Säure-Basen-Wert, Gasverteilung von Sauerstoff und Kohlendioxid. Die Untersuchung wird von Pflegefachpersonen auf Intensivstation selbstständig durchgeführt.

Body-Mass-Index (BMI) Rechenmethode zur Beurteilung des Körperfettes eines Menschen.
Der Body-Mass-Index betrachtet das Verhältnis von Körpergewicht und Körpergröße zueinander.

Bolus

1. Die Gabe von Medikamenten, Sondennahrung oder Kontrastmittel innerhalb einer kurzen Zeit.
2. Bissen fester Nahrung zum Weitertransport in den Magen.

Borderline-Persönlichkeitsstörung
Psychische Erkrankung mit folgenden Leitsymptomen: instabiles Selbstbild, gestörte zwischenmenschliche Beziehungen, Selbstverletzungen und Gefühlsschwankungen.

Borg-Skala Instrument zur Feststellung und Dokumentation des Empfindens bei Belastung. Zum Beispiel: Wie viel Atemnot empfindet der Patient?

Botenstoff Chemische Substanz im Körper. Botenstoffe sind wichtig, um Informationen zwischen den Zellen weiterzugeben.

Brady langsam

Bradyarrythmie Herzrhythmusstörung. Zu langsamer Herzschlag ohne erkennbaren Rhythmus.

Bradykardie Herzschlag ist zu langsam

Bradykinese Bewegungsablauf ist verlangsamt

Bradypnoe Atmung ist zu langsam

Braunüle Venenverweilkanüle der Firma Braun.
Eine Kanüle ist ein Plastikröhrchen mit einer Nadel zur Punktion. Nach der Punktion der Vene wird die Nadel entfernt. Ein Infusionssystem kann angehängt werden.

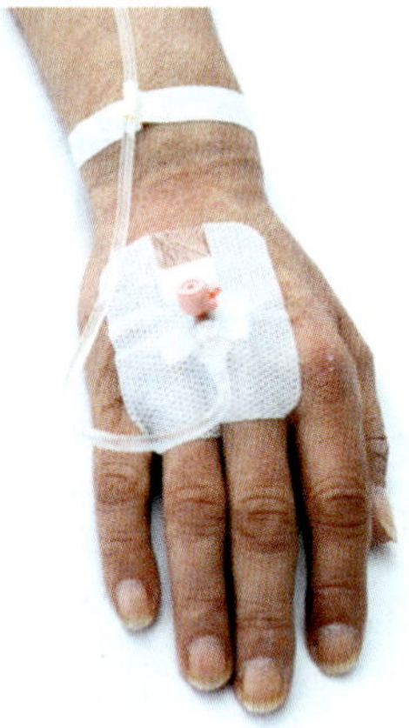

Abb. 27 **Braunüle** Die Braunüle liegt meist in der Armbeuge oder am Handrücken.
[K115]

Broca-Sprachzentrum Teil im Gehirn. Er ist für die Sprachsteuerung zuständig.

bronchiale Hyperreaktivität Auslösende Reize gelangen in die Atemwege und verengen die Bronchien. Die bronchiale Hyperreaktivität tritt oft mit Asthma oder COPD auf. Symptome sind: Engegefühl, Husten und Atemnot.

Bronchialtoilette das Absaugen von Bronchialsekret

Bronchodilatatoren Medikament, das die Bronchien weitet.

Bronchoskopie Spiegelung zur Untersuchung der Atemwege (Trachea und Bronchien)

Brustatmung Atemtyp: Der Patient atmet vor allem mit der Brust. Die Zwischenrippenmuskeln heben den Brustkorb.

Brustkyphose Krümmung der Brustwirbelsäule nach hinten

BSG **B**lutkörperchen**s**enkungs**g**eschwindigkeit
Angabe, wie schnell die roten Blutkörperchen absinken.

BTM **B**e**t**äubungs**m**ittel
Medikamente, die das Bewusstsein oder die Stimmung verändern. Und sehr starke Schmerzmittel. Zum Beispiel Morphin. Betäubungsmittel können schnell abhängig machen. Betäubungsmittel müssen in einem abschließbaren Schrank aufbewahrt werden. Jede Entnahme muss dokumentiert werden.

Bülau-Drainage Pleuradrainage: Drainage zum Ableiten von Blut, Sekret oder Luft aus der Pleurahöhle.

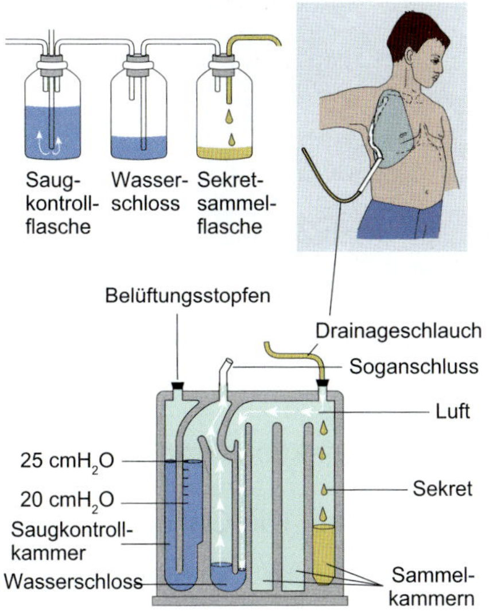

Abb. 28 **Bülau-Drainage**
[L215]

Burn-out Körperliche und seelische Erschöpfung. Gefühl von „Ausgebranntsein".

Bypass Überbrückung oder Umgehung einer Verengung eines Gefäßes

Bypassoperation Operation zum Umgehen einer Engstelle. Häufig bei einer Engstelle der Koronararterien.

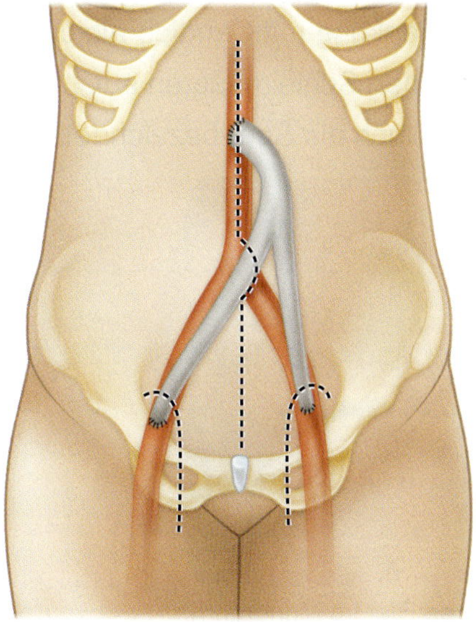

Abb. 29 **Bypassoperation** Der Umgehungskreislauf ist grau dargestellt.
[G627-001]

C

Caecum Blinddarm

Calor Überwärmung. Eines der 5 Entzündungszeichen.

Candida albicans Weißer Pilz. Ursache für 90 Prozent der Pilzinfektionen.

Candidose Erkrankung mit Candida albicans. Tritt vor allem in den Schleimhäuten auf. Candidose wird auch als Soor bezeichnet.

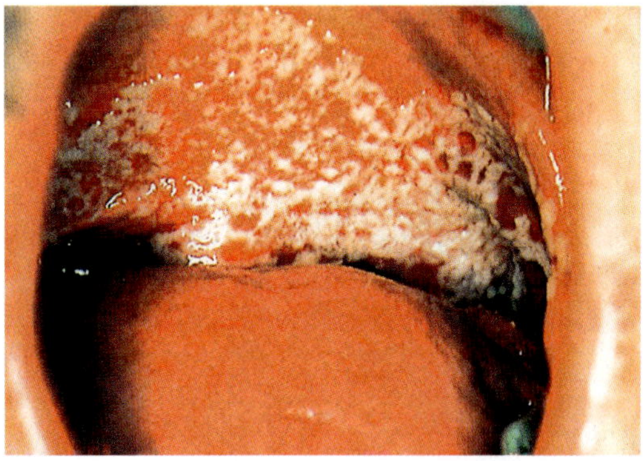

Abb. 30 **Candidose** Hier im Mundraum.
[G290-003]

CAP Die englische Abkürzung für: eine ambulant erworbene Pneumonie.

CED **c**hronisch-**e**ntzündliche **D**armerkrankungen. Oberbegriff für Morbus Crohn und Colitis ulcerosa

Cerebellum Kleinhirn

Cervix uteri Gebärmutterhals

Charrière (kurz Ch) Maßangabe für den Durchmesser eines Katheters

charakteristisch typisch, kennzeichnend

Chemotherapie Behandlung von Tumoren mit Zytostatika. Zytostatika sind Medikamente. Zytostatika hemmen das Wachstum von Tumorzellen. Und sie zerstören Tumorzellen.

Chest Pain Unit (kurz CPU) Spezialstation zur Diagnostik und Therapie von Patienten mit akuten Brustschmerzen

Cheyne-Stokes-Atmung Atemzüge werden immer wieder stärker und wieder weniger stark. Gefolgt von einer Atempause.

chirurgisch/Chirurgie Behandlung von Patienten durch Operationen. Eine Operation ist ein Eingriff in den Körper durch einen Schnitt.

Cholangitis Entzündung des Gallengangs

Choledocholithiasis Steine in den Gallengängen

Cholelithiasis Gallensteine. Gallensteine entstehen durch Ablagerungen in der Gallenblase.

Abb. 31 **Cholelithiasis** Gallensteine in verschiedenen Größen, Farben und Formen.
[T173]

Cholera bakterielle Infektionskrankheit

Cholestase Gallenstau. Die Gallenflüssigkeit staut sich in der Leber. Bilirubin fließt nicht mehr ab. Dadurch kommt es zu erhöhten Bilirubinwerten im Blut.

Cholezystektomie Entfernung der Gallenblase

Cholezystitis Entzündung der Gallenblase

chondral den Knorpel betreffend

Chondrosarkom bösartiger Tumor eines Knorpels

Chondrozyten Knorpelzellen

Chorea Huntington Seltene Erbkrankheit. Es kommt zur Erkrankung des zentralen Nervensystems und zahlreichen neurologischen Ausfällen. Die Erkrankung wird auch Veitstanz genannt.

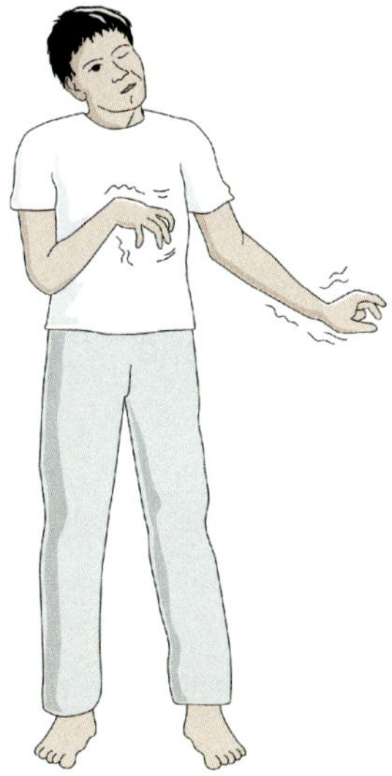

Abb. 32 **Chorea Huntington**
[R478]

Chromosom Träger von Genen und Erbinformationen in den Zellen

Chronifizierung Ein vorübergehender Zustand wird dauerhaft.

chronisch lang andauernd
Gegenteil: akut

chronisch-entzündliche Darmerkrankungen (kurz CED) Oberbegriff für Morbus Crohn und Colitis ulcerosa

chronisch-kontinuierlich gleich bleibende chronische Erkrankung

chronisch-rezidivierend immer wieder auftretende chronische Erkrankung

chronisch-venöse Insuffizienz (kurz CVI) Venenschwäche. Eine Erkrankung der Beinvenen mit unzureichender Durchblutung.

Claudicatio intermittens Leitsymptom der peripheren arteriellen Verschlusskrankheit, auch pAVK genannt. Ein dauerhaftes Hinken durch Minderdurchblutung und Schmerzen in den Beinen. Auch Schaufensterkrankheit genannt. Patienten bleiben immer wieder stehen, als würden sie etwas im Schaufenster betrachten.

Clavicula Schlüsselbein

Clostridium Bakterium. Häufig Ursache für schwere Durchfälle. Tritt oft auf in stationären Einrichtungen. Die Patienten werden dann isoliert.

Colitis ulcerosa chronisch-entzündliche Darmerkrankung

Colon Dickdarm. Abb. 33 auf der nächsten Seite zeigt die verschiedenen Abschnitte des Dickdarms.

Colon ascendens aufsteigender Dickdarm

Colon descendens absteigender Dickdarm

Colon sigmoideum S-förmiger-Dickdarm

Colon transversum quer verlaufender Dickdarm

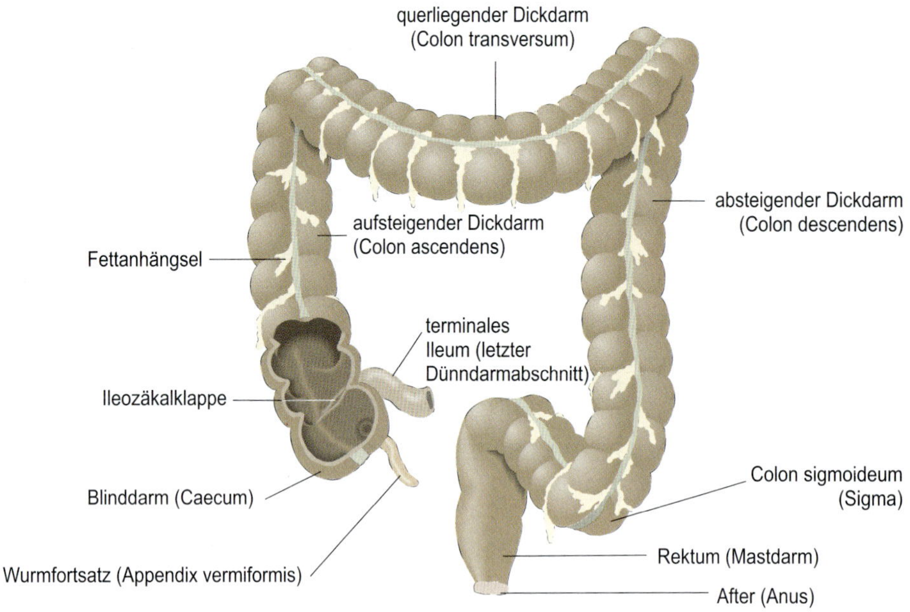

Abb. 33 **Colon** Abschnitte des Dickdarms
[L190]

Coma diabeticum Diabetisches Koma. Lebensgefährliche Stoffwechselentgleisung durch Insulinmangel bei Patienten mit Diabetes.

Coma hepaticum Schwere Form der Bewusstseinsstörung (Koma). Ein Leberkoma tritt bei einem Versagen der Leber auf.

Commotio cerebri Gehirnerschütterung. Leichte Form eines **S**chädel-**H**irn-**T**raumas (SHT).

community-aquired pneumonia (kurz CAP) eine ambulant erworbene Pneumonie

Compliance Bereitschaft des Patienten, im Behandlungsprozess mitzuwirken.

Computertomografie (kurz CT) Röntgenuntersuchung, die sogenannte Schnittbilder macht. Die Strahlenbelastung ist beim CT höher als beim normalen Röntgen.

Controller Medikamente. Die Wirkung tritt nicht sofort auf, sondern entfaltet sich langsam. Controller lindern bei Asthma die Entzündung und die Symptome.

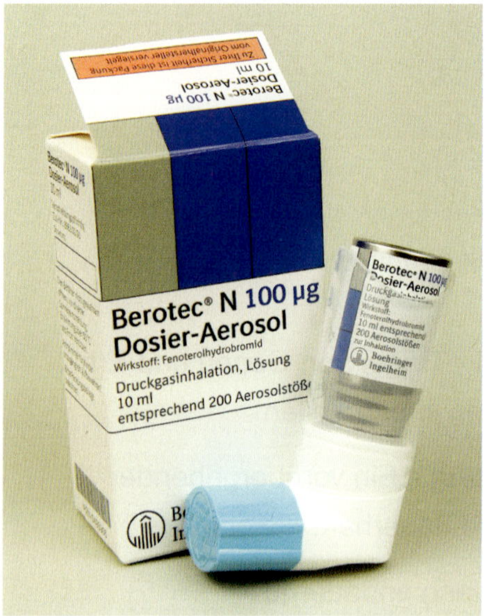

Abb. 34 **Controller**
[K378]

Coolout Zustand der Abstumpfung und Gleichgültigkeit

COPD Englisch: **C**hronic **O**bstructiv **P**ulmonary **D**isease
Deutsch: chronisch obstruktive Lungenerkrankung

Cor pulmonale cor (Herz) pulmonale (Lunge): Überlastung des rechten Herzens. Ursache ist ein erhöhter Widerstand in der Lunge. Zum Beispiel bei einer Lungenerkrankung. Dadurch vergrößert sich das rechte Herz.

Corpusculum renale Nierenkörperchen

Cortex Rinde

Cortex renalis äußere helle Nierenrinde

Costa (Mehrzahl: Costae) Rippe

CPAP-Atmung Englisch: **C**ontinous **P**ositive **A**irway **P**ressure
Beatmungsverfahren: Andauernder Druck wird auf den spontan atmenden Patienten angewendet.

CPU **C**hest **P**ain **U**nit
Spezialstation zur Diagnostik und Therapie von Patienten mit akuten Brustschmerzen

Cranium Schädel

c-reaktives Protein (kurz CRP) Bluteiweiß. Wenn der CRP-Wert im Blut erhöht ist, dann liegt eine Entzündung im Körper vor.

CRT kardiale Resynchronisationstherapie
Therapie bei Herzinsuffizienz. Ein Herzschrittmacher sorgt für ein gleichmäßiges Schlagen des Herzens.

CT **C**omputer**t**omografie
Röntgenuntersuchung, die sogenannte Schnittbilder macht. Die Strahlenbelastung ist beim CT höher als beim normalen Röntgen.

Cuff Eine aufblasbare Manschette, die bei Trachealkanülen verwendet wird. Zur Beatmung oder Aspirationsprophylaxe.

Cumarin (Mehrzahl: Cumarine) Medikament zur Herabsetzung der Blutgerinnung

Cushing-Syndrom Körperliche Veränderungen. Zum Beispiel: Gewichtszunahme, Hypertonie, verstärkte Behaarung. Ursache: Zu viel Kortisol im Blut. Ursache: eine Überfunktion der Nebennierenrinde oder durch Gabe von Medikamenten. Zum Beispiel Glukokortikoide.

CVI **c**hronisch-**v**enöse **I**nsuffizienz
Venenschwäche. Eine Erkrankung der Beinvenen mit unzureichender Durchblutung.

A B C D E F G H I J K L M N O P Q R S T U V W X Y Z

D

Darmflora Gesamtheit aller Mikroorganismen im Darm

Darmperistaltik Darmbewegungen zum Weitertransport der Nahrung. Die Darmperistaltik wird vom vegetativen Nervensystem gesteuert.

Dauerausscheider Ein Patient scheidet über einen längeren Zeitraum Keime aus. Er hat dabei keine Symptome der Krankheit.

Dauerkatheter Ein Blasenkatheter, der über einen längeren Zeitraum in der Blase bleibt.

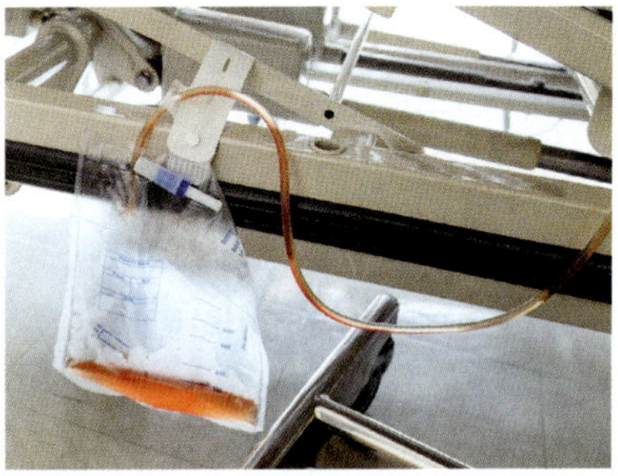

Abb. 35 **Dauerkatheter** mit Auffangbeutel
[J787]

D-Dimere Eiweißstoffe, die man im Blut nachweisen kann. D-Dimere entstehen bei Blutgerinnseln. Dadurch sind sie ein wichtiger Nachweis bei Embolien.

Débridement Entfernung von abgestorbenem Gewebe aus Wunden

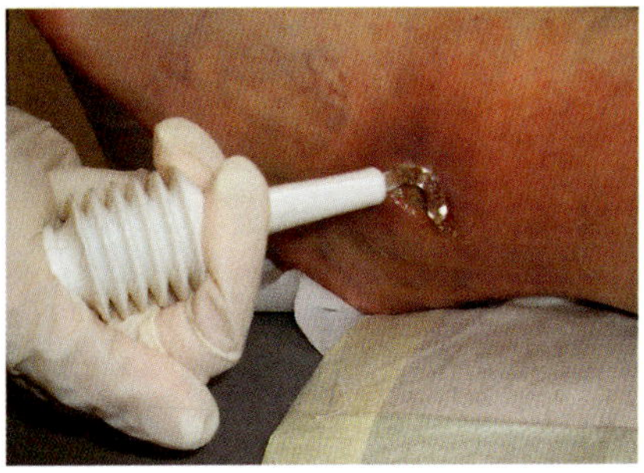

Abb. 36 **Débridement**
[M291]

Defäkation Stuhlentleerung

Defäkationsfrequenz Häufigkeit des Stuhlgangs

Defi/Defibrillation/Defibrillator Behandlung von Kammerflimmern mit einem Gerät. Das Gerät löst Stromstöße aus. Der Defi unterstützt bei Reanimationen.

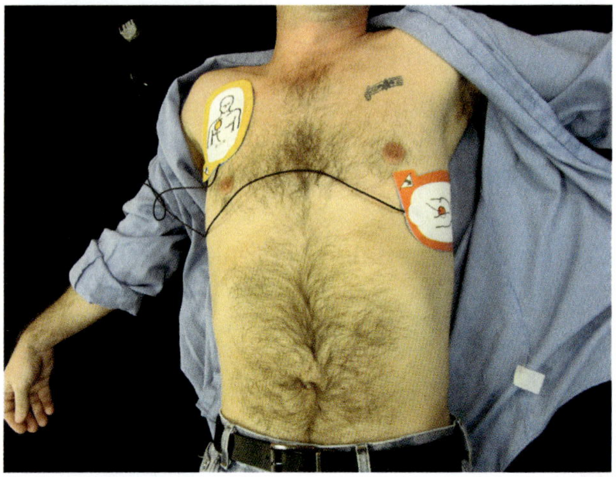

Abb. 37 **Defibrillation** Defibrilation am Patienten. Die aufgeklebten Pads übernehmen die Herzdruckmassage.
[G1201]

Defizit Mangel

degenerativ Abnutzung von Körperfunktionen, die zu Einschränkungen führen. Zum Beispiel: Rückenschmerzen bei Wirbelsäulenarthrose oder Versteifung der Finger bei Arthrose.

Dehydratation Flüssigkeitsmangel

Dekompensation Mangelnde Fähigkeit des Körpers, Störungen auszugleichen.

dekompensierte Herzinsuffizienz Mangelnde Fähigkeit des Körpers, eine Herzschwäche auszugleichen.

Dekubitusprophylaxe Vorbeugung eines Druckgeschwürs

Dekubitus Ein Dekubitus ist eine örtlich begrenzte Schädigung der Haut. Teilweise mit Beteiligung des darunter liegenden Gewebes.

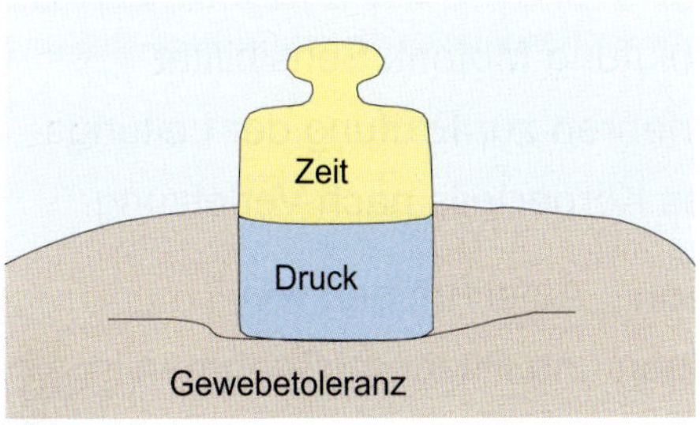

Abb. 38 **Dekubitus** Entstehung
[A400]

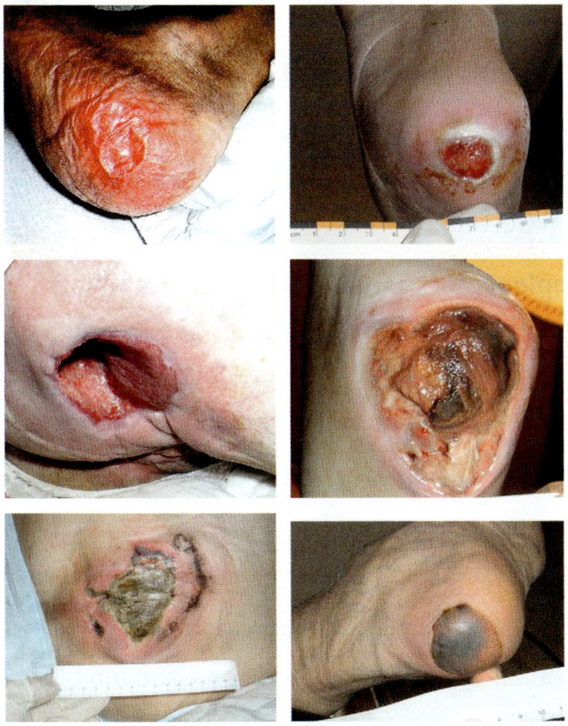

Abb. 39 **Dekubitus** Verschiedene Stadien
[M291]

delegieren Jemandem eine Aufgabe übertragen. Ärzte dürfen Pflegefachpersonen Aufgaben delegieren. Zum Beispiel Blutabnehmen. Der Arzt muss sicherstellen, dass die Pflegefachperson dazu in der Lage ist. Die Pflegefachperson darf die Aufgabe nur annehmen, wenn sie die Durchführung leisten kann.

Delir Zustand mit plötzlicher Verwirrtheit

Delirium tremens Alkoholdelir. Bei Alkoholentzug treten neurologische Symptome auf. Zum Beispiel: Zittern, Halluzinationen, Schweiß oder Angstzustände.

Demenz fortschreitender Verlust von geistigen Fähigkeiten

Demografie Lehre von der Entwicklung der Bevölkerung

Denaturierung Veränderung von Stoffen. Eiweiße denaturieren ab einer bestimmten Temperatur. Der Körper besteht zum Teil aus Eiweißen. Bei zu hohem Fieber werden Eiweiße zerstört. Das ist lebensbedrohlich.

dental die Zähne betreffend

Dermatologie Lehre der Hautkrankheiten

Desinfektion Vernichtung von Keimen

destilliertes Wasser Das Wasser ist salzarm und frei von Stoffen wie Elektrolyten, Mineralien oder Spurenelementen.

Deutsche Gesellschaft für Ernährung (kurz DGE) Unabhängiges Gremium. Die DGE veröffentlicht Empfehlungen für gesunde Ernährung.

Diabetes insipidus Hormonell bedingte Störung des Wasserhaushalts und des Elektrolythaushalts. Die Nieren scheiden sehr große Mengen von Urin aus (Polyurie). Ursache ist zum Beispiel zu wenig ADH.

Diabetes mellitus Zuckerkrankheit (*mellitus* = honigsüß). Chronische Störung des Stoffwechsels durch Insulinmangel.

Diagnose Bestimmung einer Krankheit

Dialyse Verfahren, das die Funktion der Nieren ersetzt. In einem speziellen Gerät wird das Blut von Schadstoffen gereinigt (Blutwäsche).

diametral entgegengesetzte Richtung

Diarrhö Durchfall

Diastole Erschlaffungsphase des Herzens

Differenzialblutbild großes Blutbild

Differenzialdiagnose Krankheitsbestimmung. Dabei werden Erkrankungen mit ähnlichen Symptomen gegenübergestellt.

diffundieren ausbreiten, wandern

Diffusion Gelöste Teilchen breiten sich von einem Ort höherer Konzentration zu einem Ort mit niedriger Konzentration aus.

Digestion Verdauung

digitale Ausräumung Entfernungen von Stuhl aus dem Rektum mit dem Finger.

Dilatation Erweiterung, Dehnung

Diskonnektion Unterbrechung einer Verbindung. Zum Beispiel wird eine Infusionsleitung getrennt.

Diphterie Infektionskrankheit mit Entzündungen im Rachenraum.

Dislokation Verschiebung, Veränderung von Körperteilen von ihrer normalen Position. Zum Beispiel ein Knochenbruch.

Disposition Veranlagung zu einer Krankheit

distal von der Körpermitte entfernt liegend

Diurese Harnausscheidung

Diuretikum (Mehrzahl: Diuretika) Medikament, das die Ausscheidung von Harn erhöht.

Divertikel Aussackungen der Schleimhaut

DMS **D**urchblutung **M**otorik **S**ensibilität Diagnoseverfahren zur Prüfung der Leitungsbahnen eines Körperteils nach Verletzung

Dokumentation Aufschreiben von Beobachtungen und Pflegemaßnahmen in einer Patientenakte

Dolor Schmerz. Schmerz ist eines der 5 Entzündungszeichen.

dominant übergeordnet

Dopamin Nervenbotenstoff (Neurotransmitter). Dopamin steuert Gefühlsreaktionen und Bewegungen.

Doppleruntersuchung/Dopplerultraschall Ultraschalluntersuchung zur Messung der Blutflussgeschwindigkeit. Wichtige Untersuchung bei Gefäßverengungen.

dorsal zum Rücken, rückseitig

Dosieraerosol Spraydose. Damit wird ein Arzneimittel verabreicht. Die Wirkstoffe werden als winzige Tropfen oder Staub freigesetzt. Die Wirkstoffe werden dann inhaliert.

Abb. 40 **Dosieraersol**
[J787]

dosierte Lippenbremse Ausatemtechnik gegen Widerstand. Das ist die beste Methode bei akuter Atemnot.

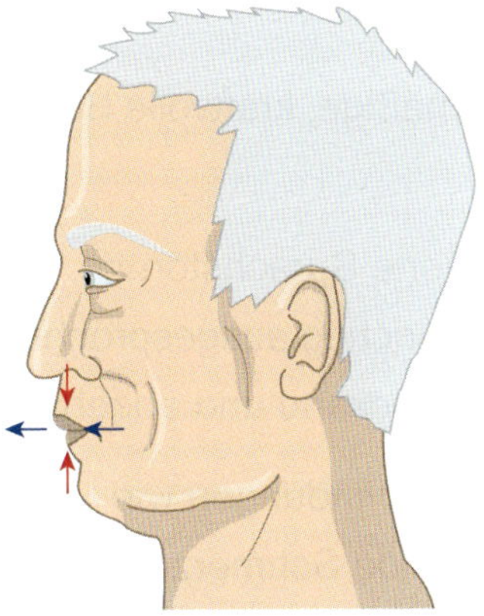

Abb. 41 **Dosierte Lippenbremse**
[L138]

Dosis Verabreichungsmenge von Medikamenten

Dragee Tablette mit einem Überzug. Ein Dragee ist nicht teilbar.

Drainage Abfluss von Wundsekret oder Blut aus dem Körper nach außen.

Drainagepositionierung Lagerung des Patienten, sodass Sekrete aus der Lunge abfließen können.

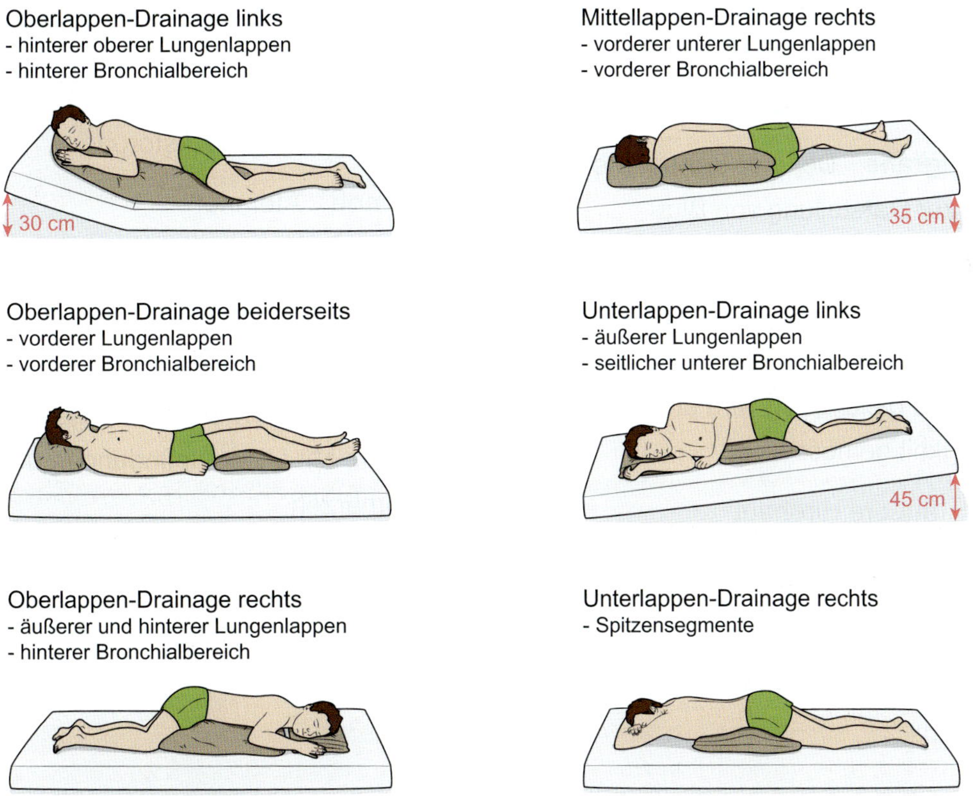

Abb. 42 **Drainagepositionierung**
[L264]

Dreiwegehahn Teil des Infusionssystem. Ermöglicht die Verabreichung von zwei Infusionen über einen venösen Zugang.

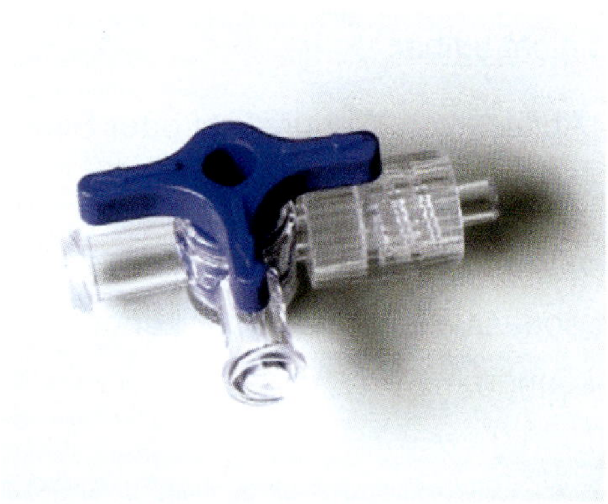

Abb. 43 **Dreiwegehahn**
[K183]

Ductus Gang, Kanal

Ductus cysticus Gallenblasengang

Duodenum Zwölffingerdarm

Duplex-Sonografie Doppler-Sonografie. Ultraschall zur Darstellung von Blutströmungsgeschwindigkeiten.

Duplexuntersuchung Spezielle Ultraschalluntersuchung. Dabei wird das Gefäß bildlich dargestellt und gleichzeitig wird die Blutflussgeschwindigkeit gemessen.

Dura mater äußere Hirnhaut

Durchblutung Motorik Sensibilität (kurz DMS) Diagnoseverfahren zur Prüfung der Leitungsbahnen eines Körperteils nach Verletzung

dynamisch gleichmäßige, kraftvolle Bewegung

Dysarthrie Neurogene Sprachstörung. Die Wörter werden nicht richtig ausgesprochen. Der Patient spricht stockend und abgehackt.

Dysästhesie Missempfindungen wie Kribbeln, elektrisierende Schmerzen

Dyskinesie spontane, unabsichtliche Bewegungen

Dysmetrie Zielunsicherheit bei Bewegungen

Dyspepsiestuhl grünlich-ockerfarbener Stuhl

Dysphagie Schluckstörung

Dyspnoe Atemnot

Dystonie Neurologische Bewegungsstörung. Unwillkürliche Kontraktionen der Muskeln führen zu wiederholten verdrehten Bewegungen.

Dysurie Erschwertes oder gestörtes Harnlassen. Mit Missempfindungen und Schmerzen.

E

EBN **E**vidence-**b**ased **N**ursing
Einbeziehen wissenschaftlicher Studien und Erkenntnisse in den Pflegealltag

Echokardiografie Ultraschalluntersuchung des Herzens

EEG **E**lektro**e**nzephalo**g**ramm
Hirnstrombild

Einfuhr Dem Körper zugeführte Flüssigkeit: durch eine Magensonde, oral oder parenteral.

Einmalkatheter Blasenkatheter wird nur einmal gelegt und wieder entfernt

Elektrokardiografie (kurz EKG) Medizinischer Fachbegriff. Der Arzt misst über die Haut die elektrischen Ströme des Herzens. Dadurch können Erkrankungen des Herzens oder Herzrhythmusstörungen erkannt werden.

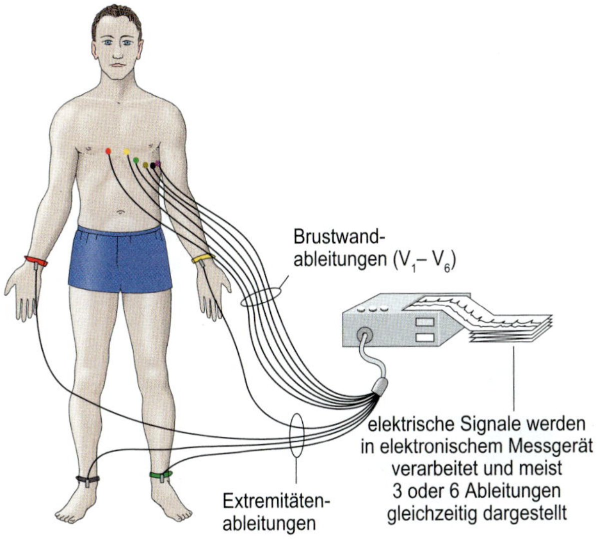

Abb. 44 **Elektrokardiografie (kurz EKG)**
[L190]

-ektomie operative Totalentfernung eines Gewebes oder Organs

elektiver Eingriff Geplanter medizinischer Eingriff. Kein Notfall.

Elektroenzephalogramm (kurz EEG) Hirnstrombild

Elektrokardiogramm (kurz EKG) Messung der elektrischen Erregungen des Herzens
Elektrokardiogramm und Elektrokardiografie sind gleichwertige Bezeichnungen für das EKG.

Elektrolyte Mineralstoffe. Zum Beispiel: Natrium, Kalium, Kalzium, Magnesium.

Embolektomie Entfernung eines Embolus

Embolie Verstopfung eines Blutgefäßes

Embolus gelöstes Blutgerinnsel

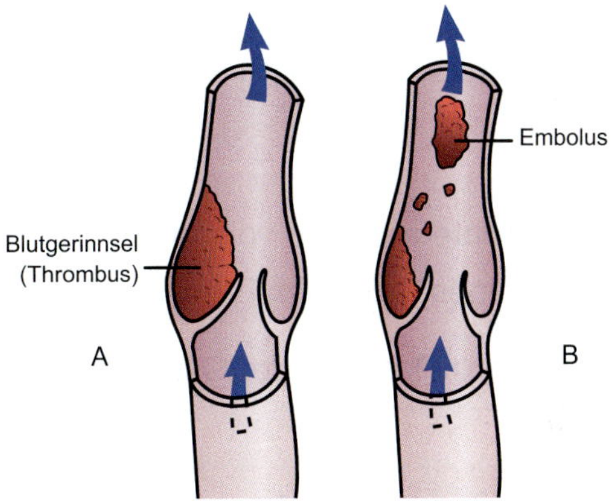

Abb. 45 **Embolus** A: Blutgerinnsel (Thrombus). B: gelöster Thrombus (Embolus).
[G959]

Emesis Erbrechen

Emotion Gefühl

Empathie Einfühlungsvermögen. Die Pflegefachperson versucht, die Situation aus der Sicht des Patienten zu sehen.

Emphysem krankhafte Luftansammlung in einer Körperhöhle

Empyem krankhafte Eiteransammlung in einer Körperhöhle

endogen Von innen kommend. Etwas entsteht im Köper.

Endokard Herzinnenhaut

Endokarditis Entzündung der Herzinnenhaut

endokrines Gewebe Gewebe, das Hormone produziert.

Endokrinologie Lehre von den Hormonen

Endoprothese künstliches Gelenk

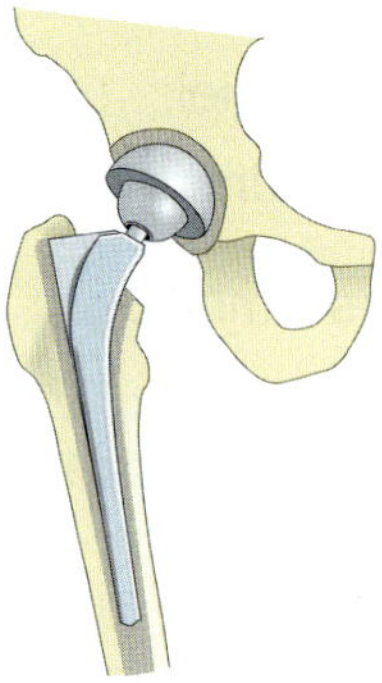

Abb. 46 **Endoprothese** Implantation eines künstlichen Gelenks. Zum Beispiel: Hüftgelenk
[L190]

Endoskopie Untersuchung von inneren Organen mit einem schlauchförmigen Gerät

Endothel Innenzellschicht der Gefäße und des Herzens

endotracheal in der Luftröhre

Energiebedarf Menge an Nährstoffen und Kalorien, die der Körper braucht.

Energiegehalt Energiemenge eines Nahrungsmittels.

Energieumsatz verbrauchte Energie

Enkopresis Einkoten. Das wiederholte Absetzen von Kot zum Beispiel in die Kleidung.

enteral den Darm betreffend

enterale Ernährung Ernährung über den Verdauungstrakt

Enteritis Entzündung des Dünndarms

Enterokolitis Darmentzündung

Enterostoma künstlicher Darmausgang

Entzündung Reaktion des Körpers auf Schädigungen

Enuresis Einnässen. Unfreiwillige Blasenentleerung.

Enzephalitis Gehirnentzündung

Enzephalopathie nichtentzündliche Schädigung des Gehirns

Enzym Eiweißstoff. Der Körper benötigt die Enzyme für alle wichtigen Vorgänge.

Epiglottis Kehldeckel

Epikard Herzaußenhaut

Epikrise Abschlussbericht des Arztes

Epilepsie Krampfanfallsleiden

endoskopisch retrograde Cholangiopankreatikographie (kurz ERCP) radiologische Untersuchung zur Darstellung von Gallenwegen, Gallenblase und Pankreas

Ergometrie Belastungs-EKG

Ergotherapie Therapieform zum Wiedererlernen oder Stärken von Tätigkeiten im Alltag

Abb. 47 **Ergotherapie** Ergotherapeuten beraten Patienten. Und sie leiten Patienten an. Dabei verwenden sie verschiedene Hilfsmittel.
[J787]

Erstmanifestation Zeitpunkt, an dem Symptome einer Krankheit das erste Mal festgestellt wurden.

Erythropoetin Hormon. Erythropoetin fördert die Entwicklung der roten Blutkörperchen. Das Hormon wird in der Niere produziert.

Erythrozyten rote Blutkörperchen

Erythrozytenkonzentrat (kurz EK) Blutkonserve aus roten Blutzellen. Zur Bluttransfusion.

Escherichia coli (kurz E. coli) Bakterien. E.coli gehören zur normalen Darmflora. Diese Bakterien können aber schwere Durchfallerkrankungen auslösen.

essenziell lebensnotwendig

ESWL **e**xtrakorporale **S**toß**w**ellen**l**ithotripsie Therapie zur Behandlung von Nierensteinleiden. Mit Ultraschallwellen werden die Nierensteine zertrümmert.

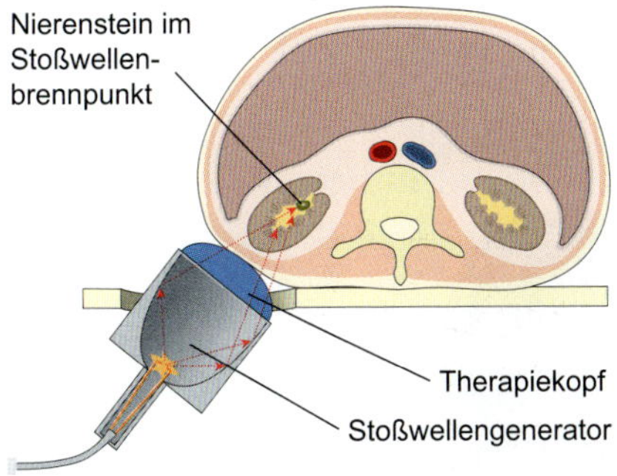

Abb. 48 **ESWL**
[L190]

Eupnoe Normale, gesunde Atmung: gleichmäßig, tief, geräuschlos, geruchlos, unbewusst.

Evaluation Auswertung, Beurteilung, Bewertung

Evidence-based Nursing (kurz EBN) Einbeziehen wissenschaftlicher Studien und Erkenntnisse in den Pflegealltag

Examen Abschlussprüfung

Exazerbation Verschlimmerung einer Krankheit

Exitus Tod

exogen von außen kommend

Exophthalmus Hervorteten des Augapfels

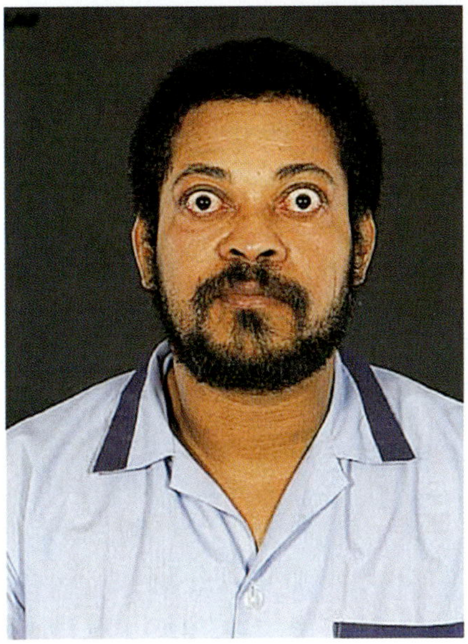

Abb. 49 **Exophthalmus**
[E1041]

Expektorantien Medikamente zur Steigerung von: Bronchialsekretion, Sekretverflüssigung, Sekretabtransport.

Expektoration Schleim aus den Bronchien, der ausgehustet wird.

Expertenstandard Expertenstandards werden in einem professionellen Team erarbeitet. Sie geben Handlungsanweisungen. Ziel ist eine professionelle und hochwertige Pflegequalität. Es gibt Expertenstandards zum Beispiel zur Dekubitusprophylaxe und zur Sturzprophylaxe.

Exsikkose Austrocknung. Der Körper kann den Flüssigkeitsmangel nicht ausgleichen.

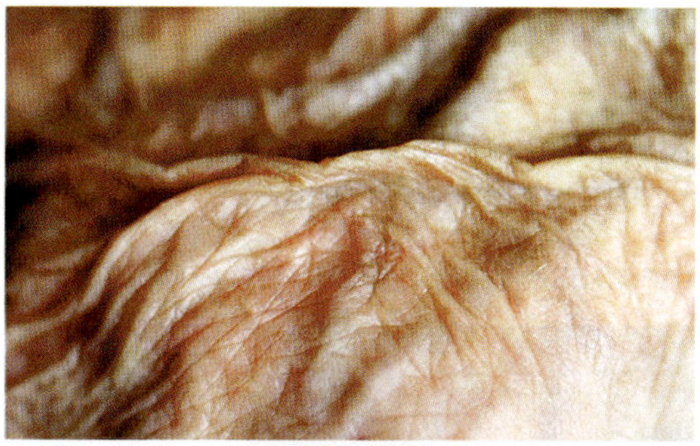

Abb. 50 **Exsikkose** Die stehende Hautfalte ist oft ein Zeichen für Flüssigkeitsmangel.
[K157]

Exspiration Ausatmung

Exsudat Austritt von Flüssigkeit. Zum Beispiel bei einer Entzündung.

Extension Streckung

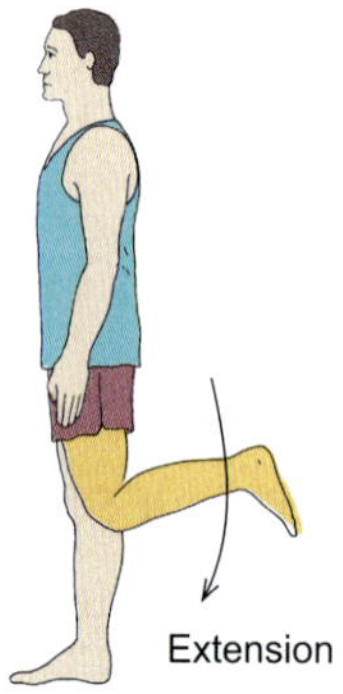

Abb. 51 **Extension**
[L190]

extern außerhalb

extrakorporale Stoßwellenlithotripsie (kurz ESWL) Therapie zur Behandlung von Nierensteinleiden. Mit Ultraschallwellen werden die Nierensteine zertrümmert.

extrapyramidales System Gebiet im Gehirn. Beeinflusst unwillkürliche und gezielte Bewegungen. Und es regelt den Muskeltonus.

Extrasystole zusätzlicher Herzschlag zum normalen Rhythmus

Extremität Äußerstes Ende. Beim menschlichen Körper sind die Arme und Hände die oberen Extremitäten. Und die Beine und Füße sind die unteren Extremitäten.

extrinsisch von außen kommend

Extubation Beendigung der Beatmung. Entfernung des Tubus aus den Atemwegen.

EzPAP® ein kleines und tragbares Gerät für die Atemtherapie

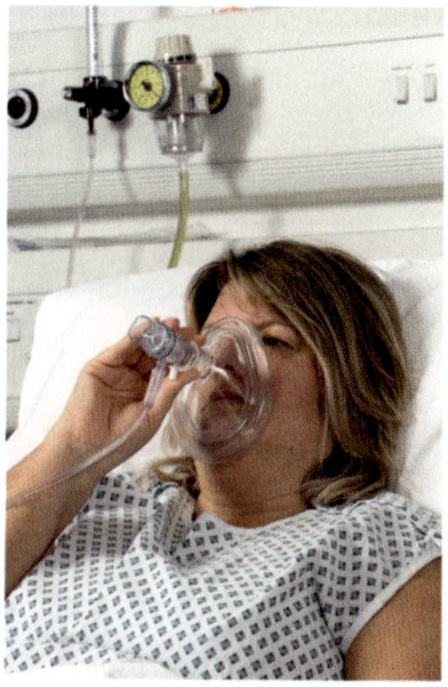

Abb. 52 **EzPAP®**
[V090]

F

Faces, Fäzes Stuhl

Facio-orale Therapie Die Therapie des facio-oralen Trakts ist eine Therapie zur Behandlung von Patienten mit einer Hirnschädigung. Sie wird in der Rehabilitation eingesetzt. Mit den Übungen sollen folgende Störungen gebessert werden: Schluckstörungen, Atemstörungen und Sprechstörungen.

Fäkalkollektor Auffangbeutel für Stuhlgang

Fassthorax Brustkorb des Patienten hat die Form eines Fasses. Ein Fassthorax ist häufig ein Symptom für ein Lungenemphysem mit chronisch-überblähter Lunge.

Faszialisparese Lähmung des Gesichtsnervs

Fatigue Müdigkeit, Schwäche, Leistungsabfall. Fatigue tritt häufig bei Patienten mit einer Krebserkrankung auf.

Fäulnisdyspepsie Verdauungsstörung: Unverdaute Eiweiße werden durch Darmbakterien zersetzt.

Feinmotorik Bewegungen der Finger oder der Gesichtsmuskulatur

Fekalom Kotsteine

feminin weiblich

femoral den Oberschenkel betreffend

Femur Oberschenkelknochen

Ferritin Speichereiweiß für Eisen

Fertilität Fruchtbarkeit

feuchte Nase Filter zum Verschließen der Trachealkanüle bei einem Patienten, der selbstständig atmet.

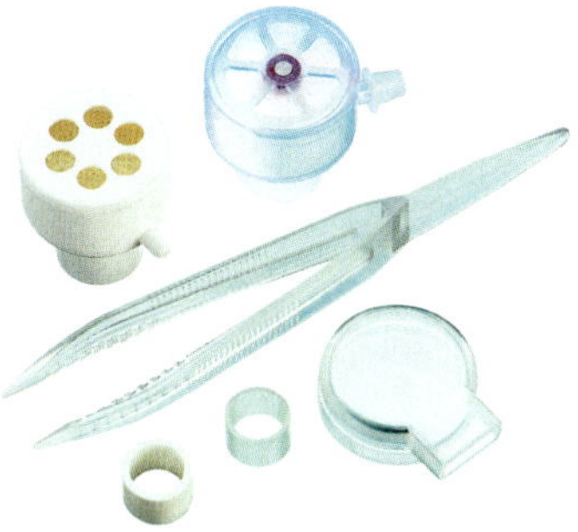

Abb. 53 **Feuchte Nase** Ausstattung zur pflegerischen Versorgung eines Patienten mit feuchter Nase. [V420]

FFP **F**resh **F**rozen **P**lasma Schockgefrorenes Plasma

Fibrin Eiweiß, das sich nicht in Wasser löst. Fibrin hilft bei der Blutgerinnung.

Fibula Wadenbein

First-Pass-Effekt Abbau eines Medikaments durch die Leber

Fissur sehr feiner Riss in den Knochen

Fistel Unnatürliche Verbindung zwischen Organ und Organ. Oder zwischen Organ und Haut.

Fixateur externa Halter zum Stabilisieren von Knochenbrüchen. Der Fixateur wird außerhalb des Körpers angebracht.

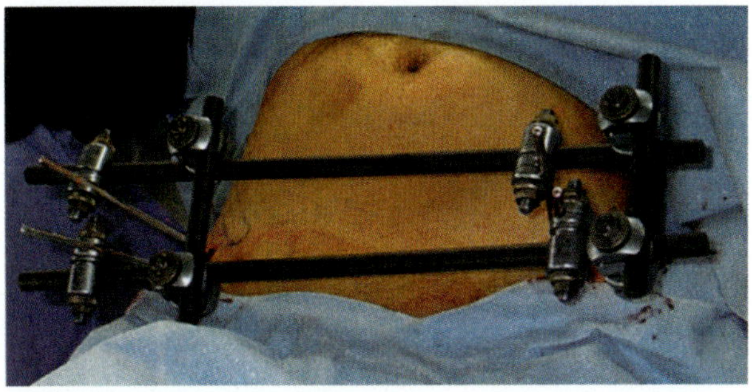

Abb. 54 **Fixateur externa** [E1131]

Fixierung Befestigung, Feststellung

Flatulenz Blähungen

Flatusfrequenz Häufigkeit des Auftretens von Blähungen

Flexion Beugung

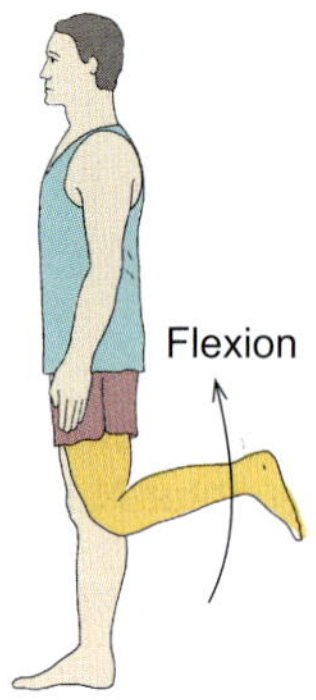

Abb. 55 **Flexion**
[L190]

Flimmerepithel Schicht aus Flimmerhärchen in den Atemwegen. Das Flimmerepithel fängt Schmutz ab. Und es befördert den Schmutz nach außen.

Flow Flow gibt an, wie die Luft in die Atemwege hineinfließt und herausströmt. Es ist eine Geschwindigkeitsangabe.

fluid lung „feuchte Lunge": Gewebeflüssigkeit lagert sich in der Lunge ein. Mögliche Ursachen sind Herzinsuffizienz oder ein Nierenversagen.

Fluktuation schneller Wechsel

Fluor vaginalis Ausfluss

Flush Hautrötung im Gesicht und Hals mit Hitzegefühl

Flüssigkeitsbilanzierung Vergleich der ausgeschiedenen Flüssigkeitsmenge (Ausfuhr) im Verhältnis zur zugeführten Menge (Einfuhr) über einen gewissen Zeitraum

Flüssigkeitskarenz Aussetzen der Aufnahme von Flüssigkeiten über den Magen-Darm-Trakt

Foetor übler Geruch

Foetor ex ore Atemgeruch

Foramen Ovale Verbindung zwischen rechtem und linkem Vorhof im Herzen bei einem Embryo. Im Normalfall schließt sich das Foramen ovale nach der Geburt.

Frailty Englisch für: Gebrechlichkeit. Geriatrisches Syndrom. Die Belastbarkeit eines Menschen ist verringert. Der Mensch ist anfällig für Erkrankungen, Behinderungen, Sturzereignisse.

Fraktur Knochenbruch

Freezing Plötzliches Einfrieren bei einer Bewegung. Startverzögerung bei Parkinson.

Frequenz Häufigkeit, Anzahl sich wiederholender Vorgänge

Fresh Frozen Plasma (kurz FFP) Schockgefrorenes Plasma. Es wird bei Gerinnungsstörungen eingesetzt.

frontal stirnwärts

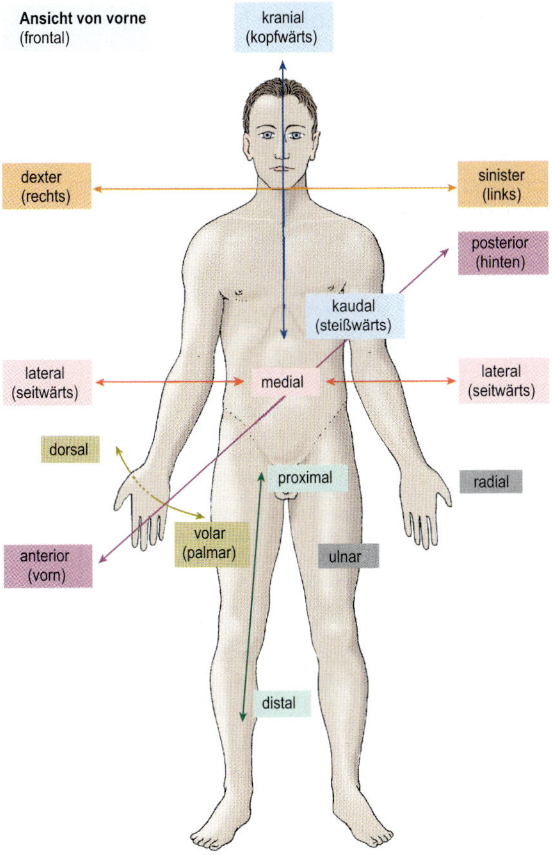

Abb. 56 **Frontal** Ansicht der Richtungsbezeichnungen von vorne
[L190]

Frühsommer-Meningoenzephaltitis Viruserkrankung. Entzündung der Hirnhäute, des Rückenmarks und des Gehirns. Das Virus wird vor allem durch Zeckenbisse übertragen.

Fruktose Fruchtzucker

fulminant Plötzlicher, heftiger, schwerer Krankheitsverlauf mit meist tödlichem Ausgang.

Functio laesa Eingeschränkte Funktion eines Körperteils. Functio laesa ist eines der 5 Entzündungszeichen.

Fundoplikatio Operation zur Verstärkung der Speiseröhre (Ösophagus) bei Refluxkrankheit. Bei der Operation wird der Magenfundus um den Schließmuskel der Speiseröhre gezogen.

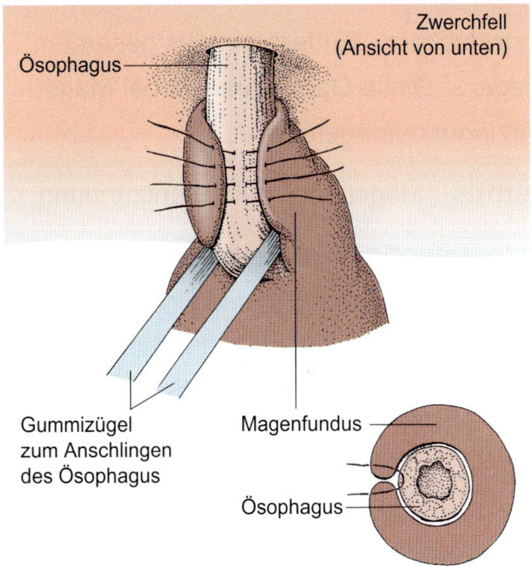

Abb. 57 **Fundoplikatio**
[L190]

G

Gangrän Absterben von Gewebe durch Blutmangelversorgung

Gärungsdyspepsie Verdauungsstörung: Unverdaute Kohlenhydrate werden durch Darmbakterien vergoren.

Gasaustausch Einatmen von Sauerstoff und Ausatmen von Kohlendioxid

Gaster Magen

Gastrektomie Entfernung des gesamten Magens. Diese Operation wird bei Magenkarzinom durchgeführt.

Gastritis Magenschleimhautentzündung

Gastroenteritis Entzündung der Schleimhaut von Magen, Dünndarm und Dickdarm. Ursache ist meist eine Infektion. Symptome sind Durchfall, Übelkeit und Bauchschmerzen.

Gastroenterologie Lehre der Erkrankungen des Magen-Darm-Trakts

gastrointestinal Magen und Darm betreffend

Gastrointestinalblutung Blutungen im Magen-Darm-Trakt

Gastrointestinaltrakt Magen-Darm-Trakt

Gastroskopie Magenspiegelung

Gaze Verbandsmaterial, Mull

genetische Disposition Erblich bedingte Veranlagung, eine bestimmte Krankheit zu bekommen.

Geriatrie Altersheilkunde. Lehre über die typischen Alterskrankheiten.

Gerontologie Alterswissenschaft. Lehre über die Veränderungen im Alter.

Glandula parathyroidea Nebenschilddrüse

Glandula suprarenalis Nebenniere

Glandula thyroidea Schilddrüse

Glasgow-Koma-Skala Instrument zur Einschätzung von Bewusstseinsstörungen

Neurologische Funktion	Reaktion des Patienten	Bewertung (Punkte)
Augen öffnen	– spontan auf Ansprechen – auf Schmerzreiz – kein Öffnen	4 3 2 1
verbale Reaktion	– orientiert verwirrt, desorientiert – unzusammenhängende Worte unverständliche Worte – keine verbale Reaktion	5 4 3 2 1
motorische Reaktion auf Schmerzreize	– Befolgen von Aufforderungen – gezielte Schmerzabwehr oder ungezielte Schmerzabwehr – Beugehaltung – Streckhaltung – keine motorische Reaktion	6 5 4 3 2 1

Abb. 58 **Glasgow-Koma-Skala**
[F210-010]

Gliazelle Zelle der Nervengewebe

Glomerulonephritis Erkrankung der Filterteile (Glomerula) in der Niere. Symptome sind: Bluthochdruck, Ödeme, rote Blutkörperchen im Urin.

Glomerulusfiltrat Primärharn

Glukose Traubenzucker. Wichtigster Energielieferant für den menschlichen Organismus.

Glukokortikoid (Mehrzahl: Glukokortikoide) Hormon aus der Nebennierenrinde. Glukokortikoide werden als Medikamente zum Beispiel bei Asthma eingesetzt.

Glukosurie Ausscheidung von Glukose im Harn

Glykogen Vielfachzucker aus Glukose

Gonarthrose Arthrose im Kniegelen

Granulationsgewebe Gewebe, das bei der Wundheilung entsteht. Es ermöglicht einen raschen Wundverschluss.

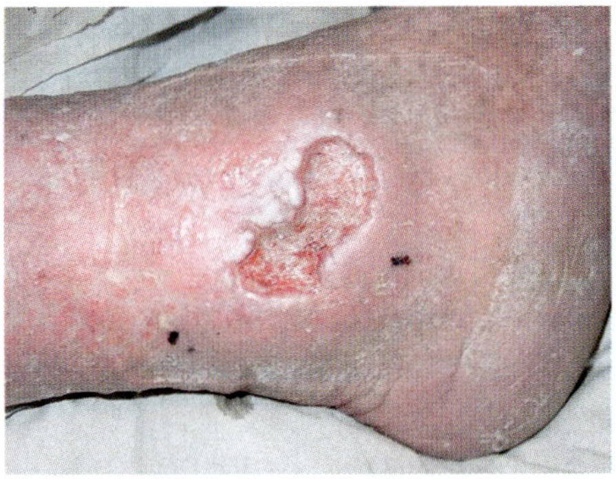

Abb. 59 **Granulationsgewebe**
[M845]

Grundumsatz Energieumsatz eines Menschen zur Aufrechterhaltung der Körperfunktionen

gustatorisch den Geschmack betreffend

Gynäkologie Frauenheilkunde

A B C D E F G H I J K L M N O P Q R S T U V W X Y Z

H

Hämatemesis Bluterbrechen

Hämatom Bluterguss. Einblutung in ins Gewebe.

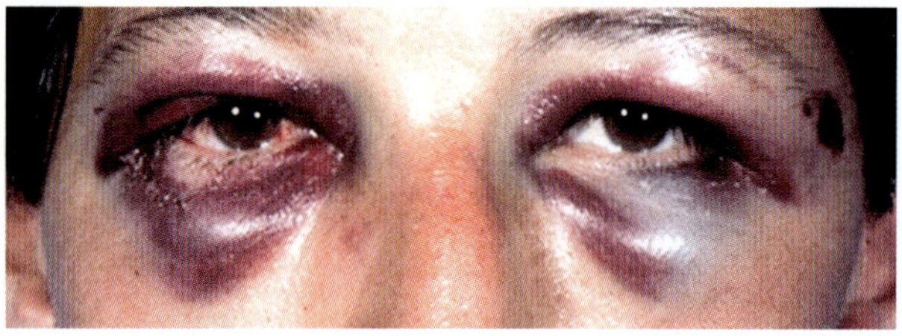

Abb. 60 **Hämatom** Hier Patient mit Brillenhämatom. Ein Brillenhämatom tritt oft bei Schädelbasisfrakturen auf. [M117]

Hämaturie Ausscheidung von roten Blutkörperchen im Urin

Hämodialyse Verfahren, das die Funktion der Nieren ersetzt. In einem speziellen Gerät wird das Blut von Schadstoffen gereinigt (Blutwäsche).

Hämoglobinurie Ausscheidung von Hämoglobin über den Urin. Hämoglobin ist der rote Blutfarbstoff.

Hämolyse Auflösung der roten Blutkörperchen (Erythrozyten)

Hämophilie Bluterkrankheit. Krankheit mit gestörter Blutgerinnung. Das Blut gerinnt zu langsam.

Hämoptyse Blutbeimengung im Auswurf beim Husten

Hämorrhoiden Knotenförmige Erweiterungen zwischen Enddarm und Schließmuskel des Afters. Hämorrhoiden können bluten, jucken und nässen.

Schweregrad

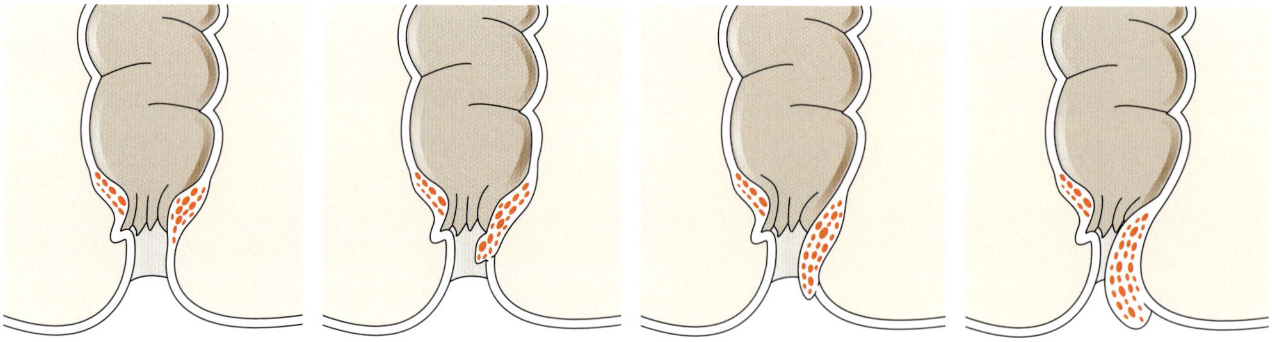

Grad I: vergrößerte, nur proktoskopisch als Vorwölbung sichtbare Hämorrhoidalpolster	**Grad II**: Heraustreten der Hämorrhoiden (Prolaps, Vorfall) beim Stuhlgang oder Pressen, danach spontanes Zurückgleiten	**Grad III**: Prolaps beim Stuhlgang oder Pressen, manuelle Reposition nötig	**Grad IV**: ständiger Prolaps, keine Reposition mehr möglich
klinische Zeichen			
eventuell hellrote Blutauflagerungen auf dem Stuhl, eventuell Juckreiz	Juckreiz, Nässen, Schmerzen, Blutung	Juckreiz, Schleimsekretion, Blutung, Schmerzen, Stuhlschmieren, Fremdkörpergefühl, Gefühl der unvollständigen Entleerung	
Behandlung			
eventuell Sklerosierung (Verödung)	Gummibandligatur, Sklerosierung	Operation, Gummibandligatur	Operation

Abb. 61 **Hämorrhoiden**
[L141]

Halluzination Sinnestäuschung, eine eingebildete Wahrnehmung. Der Mensch sieht, hört, fühlt oder riecht etwas, das es nicht gibt.

HAP Englisch: **h**ospital-**a**quired **p**neumonia Die englische Bezeichnung für eine in der Klinik erworbenen Lungenentzündung.

haptisch den Tastsinn betreffend

harnpflichtige Substanzen Abbauprodukte, die über die Nieren ausgeschieden werden. Vor allem: Harnstoff, Harnsäure und Kreatinin.

Harnretention Unvollständige Blasenentleerung. Dadurch kommt es zur Bildung von Restharn.

HbA1c Glykohämoglobin (Langzeitblutzucker)
Der HbA1c-Wert sagt in Prozent aus, wie viel Blutzucker sich an die roten Blutkörperchen gebunden hat. Ein erhöhter HbA1c-Wert ist ein Hinweis auf Diabetes mellitus.

Helicobacter pylori Helicobacter pylori ist ein Bakterium. Das Bakterium kann den Magen besiedeln und ein Magengeschwür verursachen.

hemi- halb, Hälfte

Hemikolektomie operative Entfernung einer Dickdarmhälfte

Hemiparese unvollständige Lähmung einer Körperhälfte

Hemiplegie vollständige Lähmung einer Körperhälfte

Hemisphäre Gehirnhälfte

HEP **H**emi**e**ndo**p**rothese Künstlicher Gelenkersatz. Bei der HEP wird nur eine Hälfte des Gelenks ausgetauscht.

Hepar Leber

Heparinisierung Gabe von Heparin mit dem Ziel der Gerinnungshemmung

hepatisch die Leber betreffend

Hepatitis Leberentzündung

Hernie Weichteilbruch. Austritt von Eingeweiden aus der Bauchhöhle durch eine Öffnung. Diese Öffnung kann angeboren oder erworben sein.

Herpes zoster Gürtelrose. Viruserkrankung.

Herzbettpositionierung Lagerung, die den venösen Rückfluss des Blutes zum Herzen senkt.

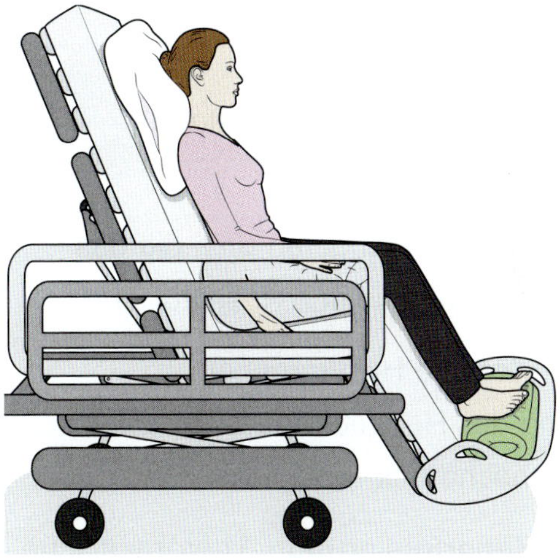

Abb. 62 **Herzbettpositionierung**
[L264]

Herzfrequenz Anzahl der Herzschläge in der Minute

Herzklappe Es gibt 4 Herzklappen. Sie wirken im Herz als Ventil. Sie verhindern ein Zurückfließen des Blutes.

Herzkranzgefäße Auch Koronargefäße genannt. Blutgefäße des Herzens. Sie versorgen die Muskulatur des Herzens mit Blut.

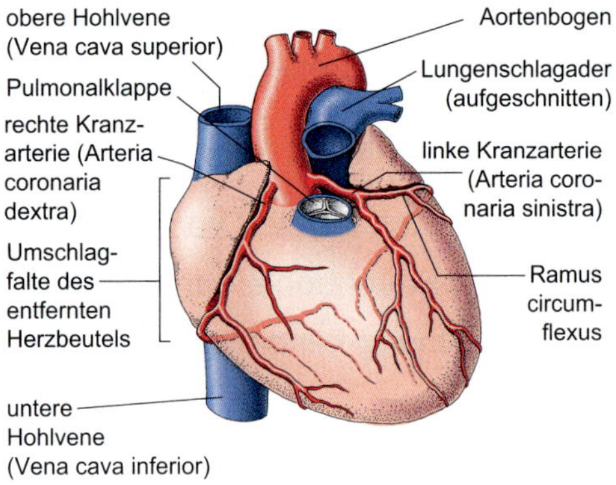

Abb. 63 **Herzkranzgefäße**
[L190]

Herzschlagvolumen Menge an Blut, die das Herz bei einem Herzschlag in den Körper pumpt.

Herzwandaneurysma krankhafte Ausbuchtung der Herzwand

Herzzeitvolumen Menge an Blut, die das Herz in einer Minute in den Kreislauf pumpt.

HHK **h**ypertensive **H**erz**k**rankheit
Erkrankung des Herzmuskels durch dauerhaften Bluthochdruck

High-dose-Heparinisierung Therapeutische Gabe von Heparin bei bereits vorhandener Venenthrombose, Lungenembolie, Herzinfarkt und arteriellen Gefäßverschlüssen.

His-Bündel Teil des Erregungsleitungssystems

Histologie Gewebelehre

HNO **H**als-**N**asen-**O**hren-Heilkunde

hochfrequent Sehr hohe Schwingungen. Zum Beispiel bei Tönen.

Horizontalachse Gedachte Achse zur räumlichen Orientierung am menschlichen Körper. Verläuft waagerecht durch den aufrecht stehenden Menschen.

Hormon Botenstoff zwischen Organen und Zellen

Hormonsystem Gesamtheit aller Organe und Zellen, die Hormone herstellen und regeln.

hospital-aquired pneumonia (kurz HAP)
Die englische Bezeichnung für eine in der Klinik erworbene Lungenentzündung.

Hospiz Einrichtung für sterbende Patienten

Huffing Methode zum effektiven Abhusten

Hüftgelenkluxation Auskugelung des Hüftgelenks

Hüftgelenksdysplasie/Hüftdysplasie Angeborene Fehlstellung des Hüftgelenks. Die Gelenkspfanne ist zu klein oder zu wenig tief. Der Oberschenkelknochen hat nicht ausreichend Halt. Das Hüftgelenk ist instabil.

Hüftkopfnekrose absterbender Hüftkopf bei Erwachsenen

Hüft-Total-Endoprothese (kurz Hüft-TEP)
künstlicher Gelenkersatz, das gesamte Gelenk (Oberschenkelkopf und Gelenkpfanne) wird ersetzt.

Humerus Oberarmknochen

Humeruskopf Oberarmknochenkopf

Humerussschaft Teil in der Mitte des Oberarmknochens

Husten Schutzmechanismus des Körpers, um Fremdkörper aus den Atemwegen herauszubefördern.

Hydrogel Wundauflage bei Nekrosen und Wundbelägen zur Abgabe von Feuchtigkeit

Hydrokolloidverband Halbdurchlässige Wundauflage. Ein Hydrokolloidverband verflüssigt die Wundbeläge und fördert die Granulation.

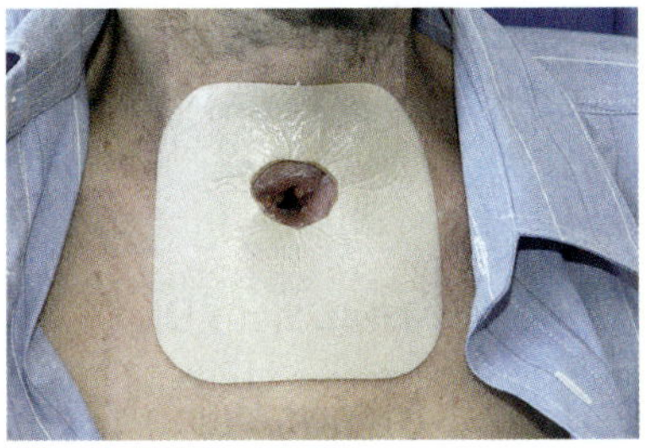

Abb. 64 **Hydrokolloidverband** Hier bei Tracheostoma [M270]

hydrophil Wasser anziehend

hydrophob Wasser abweisend

Hygiene Lehre der Verhütung der Krankheiten und Erhaltung der Gesundheit

hygienisch keimarm, sauber

Hygrometer Messinstrument zur Bestimmung der Luftfeuchtigkeit

Hypalgesie verminderte Schmerzempfindung

Hypästhesie Sensibilitätsstörung mit vermindertem Berührungsempfinden

Hyper- über, übermäßig

Hyperaldosteronismus Überproduktion von Aldosteron (Hormon der Nebennierenrinde)

Hyperalgesie gesteigerte Schmerzempfindung

Hyperästhesie Sensibilitätsstörung mit gesteigertem Berührungsempfinden

Hyperglykämie zu hoher Blutzucker Gegenteil: Hypoglykämie

hyperglykämisches Koma Diabetisches Koma. Lebensgefährliche Stoffwechselentgleisung durch Insulinmangel bei Menschen mit Diabetes.

Hypergranulation überschüssige Bildung von Granulationsgewebe bei der Wundheilung

Hyperhydratation zu viel Wasser im Körper

Hyperkaliämie zu viel Kalium im Blut

Hyperkalzämie zu viel Kalzium im Blut

Hyperkapnie zu hoher Kohlendioxidgehalt im Blut

Hyperkinese gesteigerte Beweglichkeit

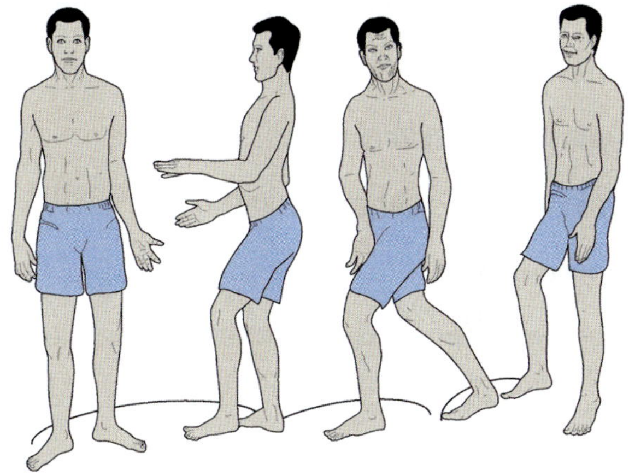

Abb. 65 **Hyperkinese** Hier bei Chorea Huntington. [E619]

Hyperlipidämie Störung des Fettstoffwechsels. Erhöhte Fettwerte im Blut

Hypermagnesiämie zu viel Magnesium im Blut

Hypermetrie Bewegungsübermaß

Hypernatriämie zu viel Natrium im Blut

Hypernephrom Nierenzellkarzinom

Hyperparathyreoidismus Überfunktion der Nebenschilddrüsen

A B C D E F G **H** I J K L M N O P Q R S T U V W X Y Z

Hyperpathie übermäßige Schmerzempfindlichkeit

Hyperphosphatämie zu viel Phosphat im Blut

Hyperplasie Vergrößerung eines Organs oder Gewebes. Ursache: Zunahme der Zellteilung.

hypertensive Herzkrankheit (kurz HHK) Erkrankung des Herzmuskels durch dauerhaften Bluthochdruck

hypertensive Nephropathie Erkrankung der Nieren durch Bluthochdruck

Hyperthermie Überhitzung, Überwärmung

Hyperthyreose Überfunktion der Schilddrüse

Hypertonie Bluthochdruck

Hypertrophie Vergrößerung von Gewebe

Hyperurikämie zu viel Harnsäure im Blut

Hyperventilation Gesteigerte Atmung. Diese führt zu Verringerung von Kohlendioxid im Blut.

Hyperventilationstetanie Krampfartiger Zustand des Körpers (Tetanie). Dieser Zustand tritt durch Hyperventilation auf.

Hypervolämie Erhöhung des Blutvolumens im Körper

Hypo- Unter-

Hypoglykämie niedriger Blutzucker
Gegenteil: Hyperglykämie

hypoglykämischer Schock Ohnmacht durch zu niedrigen Blutzucker. Weitere Symptome sind: Schwitzen, feuchte und blasse Haut, Krämpfe, Zittern.

Hypokaliämie zu wenig Kalium im Blut

Hypokalzämie zu wenig Kalzium im Blut

Hypokapnie Erniedrigung des Kohlendioxidpartialdrucks im arteriellen Blut
Ursache: Hyperventilation oder metabolische Azidose.

Hypokinese Bewegungsarmut
Verminderung der willkürlichen und der unwillkürlichen Bewegungen.

Hypomagnesiämie zu wenig Magnesium im Blut

Hyponatriämie zu wenig Natrium im Blut

Hypoparathyreoidismus Unterfunktion der Nebenschilddrüsen

Hypophosphatämie zu wenig Phosphat im Blut

Hypophyse Hirnanhangsdrüse. Die Hypophyse schüttet Hormone aus. Die Hormone sind selbst produziert sowie von außen aufgenommen. Zum Beispiel durch die Nahrung.

Hypothalamus Abschnitt im Zwischenhirn. Der Hypothalamus bildet zum Beispiel Hormone.

Hypothermie Unterkühlung

Hypothyreose Unterfunktion der Schilddrüse

Hypotonie zu niedriger Blutdruck

Hypoventilation zu wenige Belüftung der Lungen

Hypovolämie Verringerung der Blutmenge im Körper

hypovolämischer Schock Kreislaufversagen durch Verminderung der Blutmenge im Kreislauf

Hypoxämie zu wenig Sauerstoff im arteriellen Blut

Hypoxie Zu wenig Sauerstoff im Körper. Oder in einem bestimmten Gewebe.

I

iatrogen durch den Arzt verursacht

ICN-Ethikkodex Berufsrichtlinie der beruflich Pflegenden des **I**nternational **C**ouncil of **N**urses

idiopathisch Die Ursache einer Erkrankung ist nicht klar.

Ikterus Gelbfärbung der Haut und Schleimhäute

Ileostoma künstlicher Darmausgang am Dünndarm

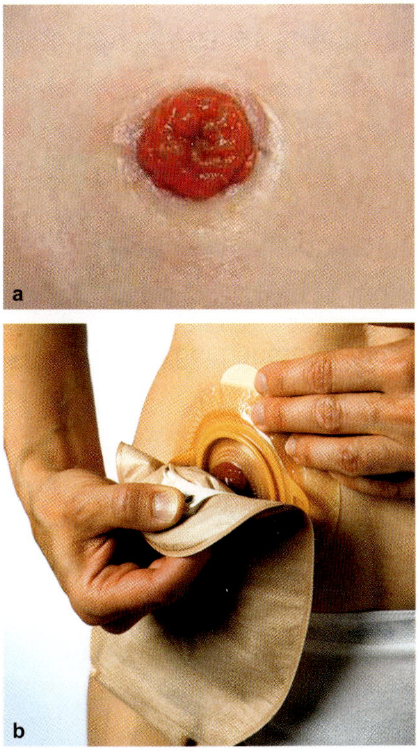

Abb. 66 **Ileostoma**
a) Darmausgang
b) mit Stomaversorgung
[V130]

Ileum Krummdarm

Ileus Darmverschluss

IMC **I**nter**m**ediate **C**are
Station zwischen Intensivstation und Normalstation. Die Patienten sind nicht mehr intensivpflichtig. Sie werden aber noch strenger überwacht als auf der Normalstation.

Immobilität Unfähigkeit, sich selbstständig zu bewegen.

immun unempfänglich

Immunsystem Abwehrsystem des Körpers. Das Immunsystem schützt den Körper vor Krankheitserregern, vor Schadstoffen und vor fehlerhafte Zellen.

Implantation Einpflanzung

Impulskontrollstörung Psychiatrisches Krankheitsbild. Der Patient handelt spontan, die Selbstkontrolle ist eingeschränkt.

Inappetenz verminderter Appetit

Indikation Voraussetzung für bestimmte Medikamente oder Therapien

individuell den Einzelnen betreffend

Infaust ungünstige, schlechte Prognose für den Verlauf einer Erkrankung

Infektion Eindringen von Krankheitserregern in den Körper. Wenn es zu einer Erkrankung kommt, dann spricht man von einer Infektionskrankheit.

inferior unten

Influenza „Echte“ Grippe, die durch Grippeviren verursacht wird.

Infusion Verabreichung von Flüssigkeiten in den Körper

Infusionsbesteck Verbindungsstück zwischen Infusionsflasche und venösem Zugang des Patienten

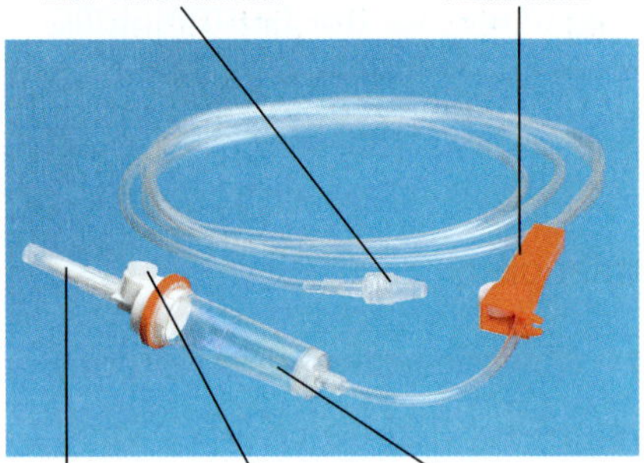

Abb. 67 **Infusionsbesteck**
[K115]

Inhalation Einatmen von gasförmigen Stoffen oder Aerosolen

inhibitorisch hemmend

Injektion Einspritzen von Medikamenten in den Körper mit einer Spritze und einer Hohlnadel

inkompatibel unvereinbar, nicht zusammenpassend

Inkontinenz Die fehlende oder mangelnde Fähigkeit, Urin oder Stuhl zu halten und kontrolliert abzugeben.

Inkontinenz assoziierte Dermatitis Hautentzündung durch ständigen Kontakt mit Stuhl oder Urin

Inkubator Brutkasten. Ein Wärmebett zur Regulation von Temperatur und Luftfeuchtigkeit.

Innenrotation Drehung nach innen

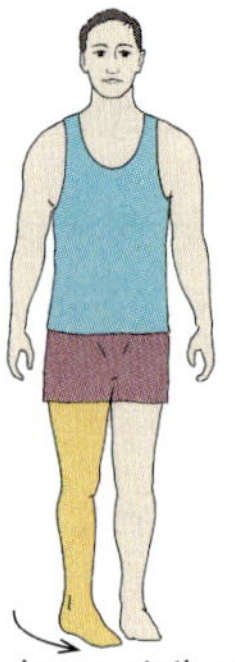

Abb. 68 **Innenrotation**
[L190]

Innere Medizin Fachgebiet für Diagnostik und nicht-operative Behandlungen

Innervation Nervenversorgung von Körperteilen

inoperabel ein operativer Eingriff ist nicht möglich

INR Blutwert zur Beurteilung der Blutgerinnung. Normal ist ein INR-Wert um 1.

Inspektion Körperuntersuchung durch Betrachtung

Inspiration Einatmung

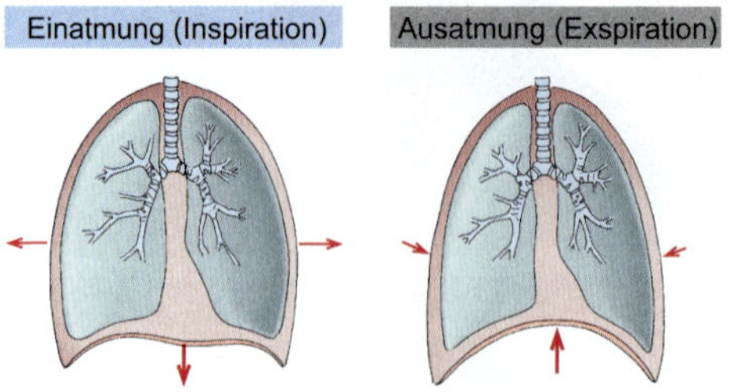

Abb. 69 **Inspiration** und Exspiration (Ausatmung)
[L190]

instabil Unbeständig, brüchig, nicht belastbar. Zum Beispiel: instabile Kreislaufsituation.

Insuffizienz Schwäche, ungenügende Leistung eines Organs

Insulin Hormon zur Blutzuckersenkung. Insulin wird in der Bauchspeicheldrüse gebildet.

Insult Anfall

Intensivstation Krankenhausstation zur Versorgung schwerstkranker Patienten. Bei den meisten Patienten ist eine Beatmung erforderlich.

Intention Absicht

Intensivpflege Patienten mit lebensbedrohlichen Erkrankungen werden überwacht, behandelt und pflegerisch versorgt.

Interkostalraum Zwischenrippenraum

Intermediate Care (kurz IMC) Station zwischen Intensivstation und Normalstation. Die Patienten sind nicht mehr intensivpflichtig. Sie werden aber noch strenger überwacht als auf der Normalstation.

intermittierend zeitweise, in bestimmten Abständen auftretend

intermittierende pneumatische Kompression Anwendung von Wechseldrücken durch Luftkissen. Die Luftkissen erzeugen Druck. Eine gezielte Druckausübung auf Gefäße kann erfolgen.

intern innerhalb

Intertrigo „Wundsein" durch Reiben. Zum Beispiel in feuchtwarmen Hautfalten.

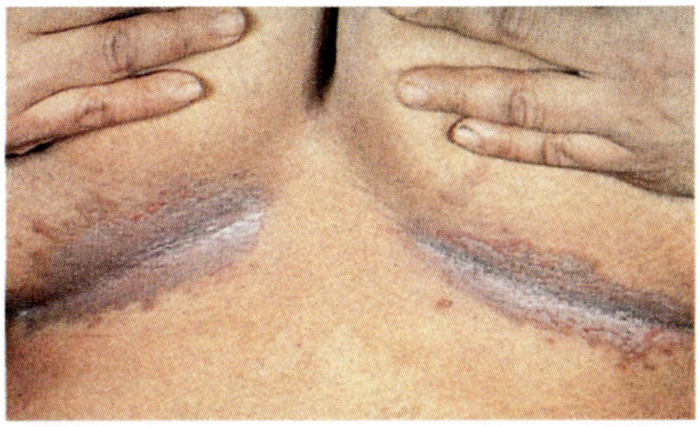

Abb. 70 **Intertrigo** Hier unter den Hautfalten der Brüste. [A400]

Intervall Zwischenraum, Zwischenzeit

Intervention Eingriff, Maßnahme

intestinal zum Darm gehörend

Intimsphäre persönlicher Bereich eines Menschen

Intoleranz Unverträglichkeit

Intoxikation Vergiftung

intrakranieller Druck Druck im Schädelinneren

intrakutan in die Haut, in der Haut

intramuskulär (kurz i.m.) direkte Verabreichung eines Medikaments oder einer Flüssigkeit in den Muskel

intraoperativ während einer Operation

intraössar in die Knochenmarkshöhle

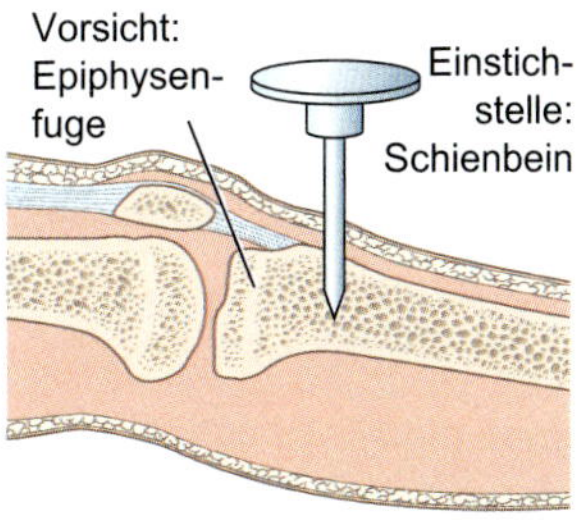

Abb. 71 **Intraössar** Intraössarer Zugang [L234]

intravenös (kurz i.v.) direkte Verabreichung eines Medikaments oder einer Flüssigkeit in ein venöses Blutgefäß

Intrinsic-Faktor Der Intrinsic-Faktor ist ein Eiweiß. Der Intrinsic-Faktor bildet mit dem Vitamin B12 eine Einheit. Dadurch kann das Vitamin B12 in den Körper aufgenommen werden.

intrinsisch von innen her
Gegenteil: extrinsisch

Intubation Einführen eines Tubus zur Beatmung in die Trachea

invasiv Eindringend. Zum Beispiel ins Gefäß oder in ein Gewebe.

Inzision Schnitt, Einschnitt

irregulär unregelmäßig

irreparabel nicht wiederherstellbar

irreversibel nicht rückgängig zu machen

Irrigation Einlauf

Ischämie Minderdurchblutung

-itis Entzündung

J

Jejunum Leerdarm

Joule Maßeinheit für Energie. Sie wird für den Energiebedarf des Menschen verwendet.

Jugulariskatheter Zentraler Venenkatheter, der in der Vena jugularis liegt.

juvenil jugendlich

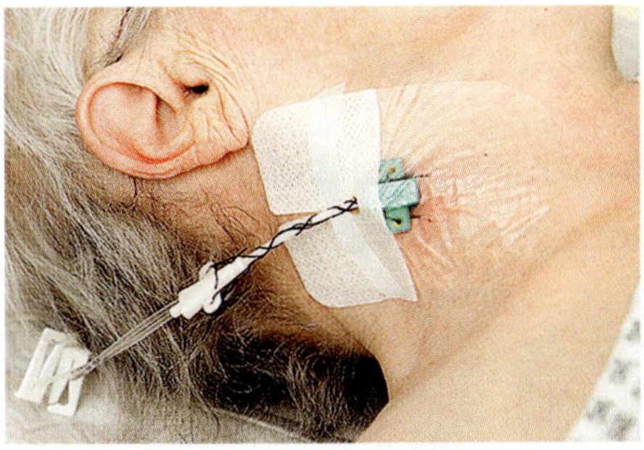

Abb. 72 **Jugulariskatheter**
[K115]

K

Kachexie krankhafte, sehr starke Abmagerung

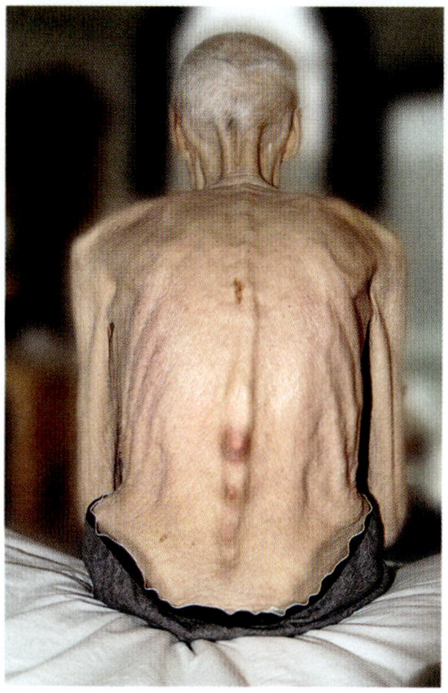

Abb. 73 **Kachexie**
[M703]

Kaffeesatzerbrechen Braun-schwarzes Erbrechen. Hervorgerufen durch Blut im Magen.

Kalibrierung genaues Einstellen eines Geräts auf einen Ausgangswert

Kältehyperästhesie Überempfindlichkeit gegenüber Kälte

Kalzium Elektrolyt im Körper. Unter anderem für den Aufbau der Knochen wichtig.

Kalziumantagonist Medikament zur Senkung des Blutdrucks

Kalziumphosphat Chemischer Stoff, der im Knochen gebunden wird.

Kammer (Ventrikel) Die linke Herzkammer (Ventrikel) pumpt sauerstoffreiches Blut durch die Körperschlagader (Aorta) in den Körperkreislauf. Sauerstoffarmes Blut fließt zurück in die rechte Herzkammer.

Kammerflattern Tachykarde Herzrhythmusstörung mit einer Herzfrequenz von 200–350 Schlägen pro Minute.

Kammerflimmern Lebensbedrohliche tachykarde Herzrhythmusstörung. Die Kammerfrequenz liegt über 320 Schlägen pro Minute. Die Schläge sind arrhythmisch.

Kanüle Röhrchen zum Zuführen oder Abführen von Medikamenten, Flüssigkeiten oder Blut.

kanzerogen krebserregend

Kapillaren sehr kleine Verzweigungen der Blutgefäße

kardial das Herz betreffend

kardiale Resynchronisationstherapie (kurz CRT) Therapie bei Herzinsuffizienz. Ein Herzschrittmacher sorgt für ein gleichmäßiges Schlagen des Herzens.

kardiale Troponine Eiweiße, die bei Herzmuskelschaden ins Blut gelangen. Erhöhte Werte weisen auf einen Herzinfarkt hin.

Kardio-CT Computertomographie des Herzens mit Kontrastmittel

kardiogen vom Herz ausgehend

kardiogene Synkope Ohnmacht, die durch Störungen im Herzen ausgelöst wird.

kardiogener Schock Das Herz ist nicht mehr in der Lage, Organe ausreichend mit Blut zu versorgen.

Kardiologie Lehre vom Herz-Kreislauf-System

Kardio-MRT **M**agnet**r**esonanz**t**omogramm (Kernspintomographie) des Herzens

Kardiomyopathie Herzmuskelerkrankung mit Funktionsstörung des Herzmuskels

kardiopulmonale Reanimation Herz-Lungen-Wiederbelebung. Herzdruckmassage und Mund-Nase-Beatmung im Verhältnis 30:2.

kardiovaskulär Herz und Gefäße betreffend

Kardioversion Behandlung von Herzrhythmusstörungen durch elektrische Schockimpulse.

Karotis Hauptschlagader des Halses

Katecholamine Stoffe zur Steigerung von Herzfrequenz und Blutdruck: Stresshormone oder Medikamente. Zum Beispiel: Dopamin, Adrenalin und Noradrenalin.

Katheter Röhrchen zum Einführen in eine Körperöffnung. Nutzung: Abführen, Zuführen, Überwachen, Untersuchungen von Körperflüssigkeiten.

kaudal in Richtung Steiß oder Fuß

kausal die Ursache betreffend

kausale Therapie Behandlung zur Beseitigung der Krankheitsursache

KHK **K**oronare **H**erz**k**rankheit
Verengte Herzkranzgefäße. Das Herz bekommt nicht mehr genug Sauerstoff. Es kommt zu dauerhaften Schäden. Symptome: Atemnot und Engegefühl in der Brust.

Kinaestetics Lehre von der Bewegungsempfindung

klinischer Tod Zustand des Körpers nach Erlöschen der Herz-Kreislauf-Tätigkeit. Abwesenheit von: Puls, Atmung und Bewusstsein.
Reanimation ist nur innerhalb weniger Minuten möglich.

Klistier Einbringen einer kleinen Flüssigkeitsmenge ins Rektum

klonisch gesteigertes Zucken von Armen, Beinen, Brustkorb, Gesicht

KMT **K**nochen**m**arks**t**ransplantation
Transplantation von Knochenmark

Koagel Blutgerinnsel außerhalb der Gefäße

Koagulation Blutgerinnung

Koagulopathie die Blutgerinnung ist gestört

kognitiv zum Denken gehörend

kognitives Defizit mangelnde geistige Leistungsfähigkeit

Kohlendioxid Ein Gas. Es entsteht zum Beispiel beim Ausatmen.

Kolitis Dickdarmentzündung

Kollaps Kreislaufzusammenbruch

Kollateralkreislauf Umgehungskreislauf

Kolonresektion operative Entfernung von Teilen des Dickdarms

kolorektales Karzinom Dickdarmkrebs

Koloskopie Darmspiegelung

Kolostoma Anlage eines künstlichen Ausgangs im Dickdarm

Koma Bewusstlosigkeit mit fehlender Reaktion auf Ansprache

Kommunikation Verständigung durch Verwendung von Sprache und Zeichen. Man unterscheidet: verbale Kommunikation und nonverbale Kommunikation.

Kompartmentsyndrom Druckerhöhung im Gewebe durch Flüssigkeitsansammlung in Muskelgruppen. Folge sind: Durchblutungsstörungen, Schmerzen, Bewegungseinschränkung.

Kompensation Ausgleich

komplett vollständig

komplex umfassend, zusammenhängend

Komplikation unerwünschte Entwicklung bei der Behandlung einer Erkrankung

Kompresse Verbandsmittel zur Wundauflage und Blutstillung

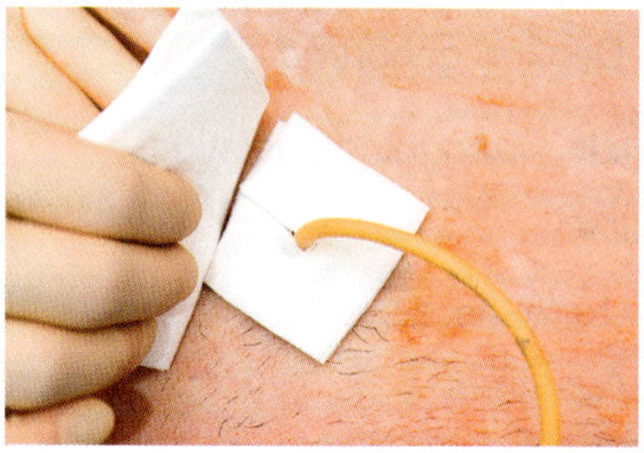

Abb. 74 **Kompresse** Hier zur sterilen Abdichtung der Eintrittspforte eines Blasenkatheters.
[K115]

Kompression Zusammenpressung, Quetschung, Druckerhöhung

Kondom-Urinal Kondom mit Urinauffangsystem. Wird bei Männern mit Harninkontinenz angewendet.

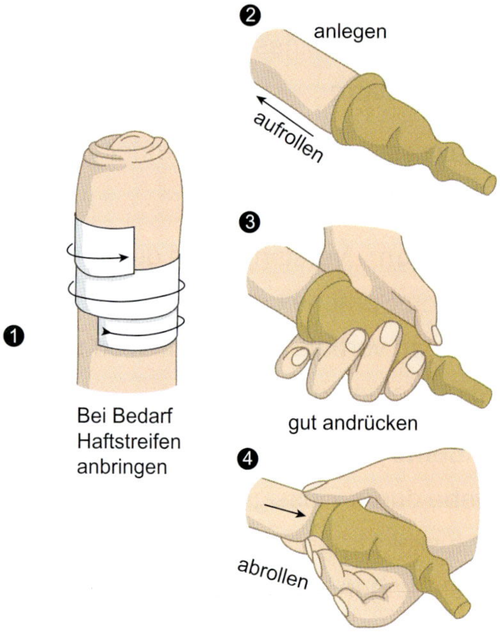

Abb. 75 **Kondom-Urinal**
[L138]

konkav nach innen gewölbt

Konkrement Ablagerung in fester Form. Zum Beispiel Gallensteine oder Nierensteine.

Konnektion Verbindung

Konsequenz Folge einer Handlung

konservativ Behandlung ohne operativen Eingriff, erhaltend

Kontaktatmung Die Pflegefachperson unterstützt den Patienten durch Auflegen der Hände beim Einatmen.

Kontamination Verunreinigung mit schädlichen Stoffen. Zum Beispiel mit Keimen.

Kontinenz Die Fähigkeit, die Stuhlentleerung oder die Harnentleerung zu steuern.

Kontinenztraining Übungen zur Erhaltung oder Wiederherstellung der Kontinenz. Zum Beispiel: Toilettentraining, Beckenbodentraining, Blasentraining.

kontinuierlich andauernd

Kontraindikation Gegenanzeige. Zustand, der gegen eine bestimmte Therapie spricht.

Kontraktion zusammenziehen

Kontraktur eingeschränkte Beweglichkeit oder Fehlstellung eines Gelenkes

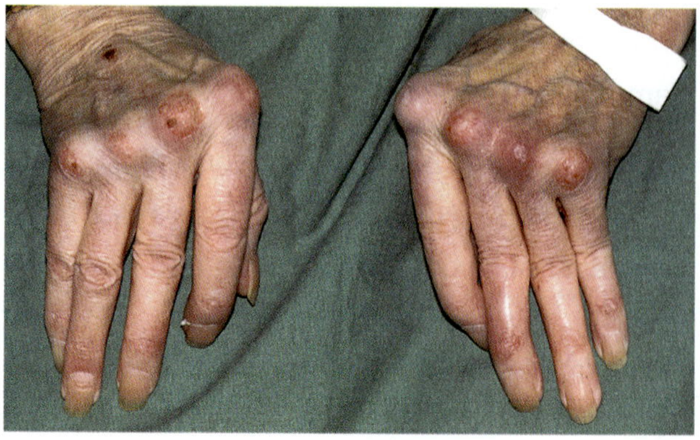

Abb. 76 **Kontraktur**
[G597]

Kontrastmittel Radioaktives Mittel zur Darstellung von Gewebe und Strukturen. Wird im Rahmen von Untersuchungen verabreicht. Zum Beispiel: beim Röntgen, beim MRT, bei der Endoskopie.

Kontrarezeption Empfängnisverhütung

Kontrazeptiva Medikamente zur Verhütung einer Schwangerschaft

Kontusion Quetschung

konvex nach außen gewölbt

Koordination Zusammenwirkungen von Sinnesorganen, zentralem Nervensystem und Skelettmuskulatur

Kornealreflex Lidschlussreflex

koronar die Herzkranzgefäße betreffend

Koronarangiografie Röntgenuntersuchung der Herzkranzgefäße mit Kontrastmittel

Koronararterie Herzkranzgefäß

koronare Herzkrankheit (kurz KHK) Erkrankung der Herzkranzgefäße durch dauerhafte Arteriosklerose (Verengung der Gefäße)

Koronarstenose Verengung der Koronararterien

Korotkow Töne mit dem Stethoskop hörbare Strömungsgeräusche bei der auskultatorischen Blutdruckmessung

Körperperipherie fern von der Körpermitte

Kostalatmung Brustatmung

Koxarthrose Arthrose des Hüftgelenks

kranial in Richtung Kopf

kurativ Die Behandlung ist auf vollständige Heilung ausgerichtet.

Kurve (kurz für Patientenkurve) Dokument zur Aufzeichnung von Patientendaten

Kussmaul-Atmung Unnormale tiefe, aber sehr regelmäßige Atemzüge.

kutan die Haut betreffend

Kutschersitz Sitzposition mit nach vorn gebeugtem Oberkörper. Die Arme sind auf den Oberschenkeln aufgestützt.
Der Kutschersitz ermöglicht eine Vergrößerung der Atemfläche durch die Dehnung des Brustkorbs. Und eine Erleichterung bei Atemnot.

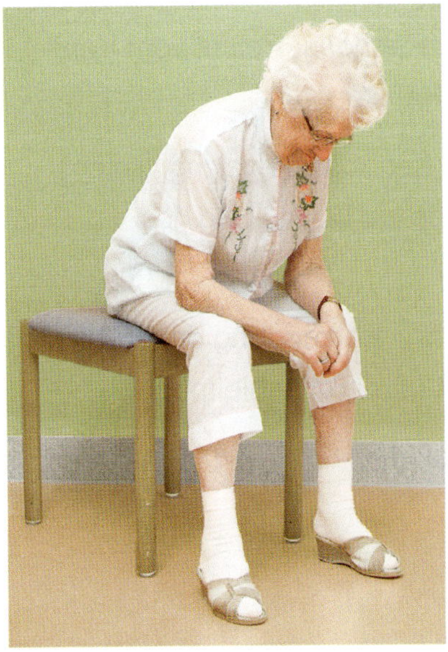

Abb. 77 **Kutschersitz**
[K115]

L

Lagerung Positionierung. Körperposition im Liegen. Bei immobilen Patienten häufig: 30°-Seitenlagerung und 135°-Seitenlagerung.

Laparoskopie Bauchspiegelung

Lappenbronchus (Mehrzahl: Lappenbronchien) Teil der Luftwege in der Lunge. Verästelung aus den Hauptbronchien: 2 Lappenbronchien gehen zu den linken Lungenlappen, 3 Lappenbronchien gehen zu den rechten Lungenlappen.

Laryngektomie Kehlkopfentfernung

Laryngitis Entzündung des Kehlkopfes

Laryngopharyngitis Entzündung der Rachenschleimhaut, Schmerzen beim Schlucken

Laryngopharynx Kehlkopfrachen Unterer Teil des Rachens. Reicht vom Kehldeckel bis zum Kehlkopf.

Laryngoskopie Kehlkopfspiegelung: Untersuchungsmethode zur Darstellung des Kehlkopfes.

Laryngotracheitis Entzündung des Kehlkopfes und der Luftröhrenschleimhaut

Larynx Kehlkopf

Larynxmaske Kehlkopfmaske zur Beatmung

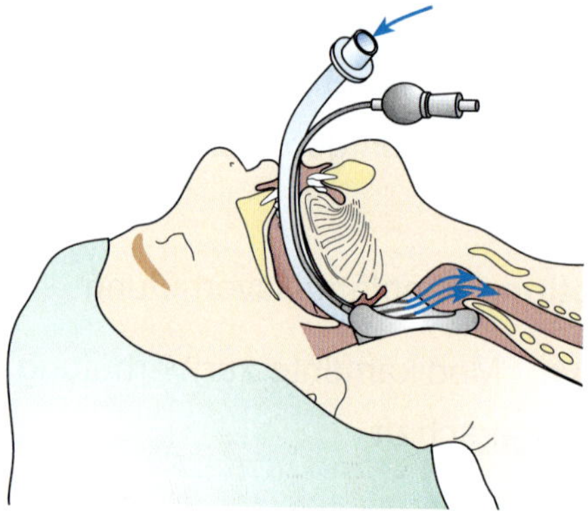

Abb. 78 **Larynxmaske**
[L106]

Larynxmaskennarkose Narkose mit einer Kehlkopfmaske

Lasègue-Zeichen Dehnungsschmerz bei einer neurologischen Untersuchung: In flacher Rückenlage führt das Anheben des Beins zu Rückenschmerzen. Hinweis auf: Meningitis oder einen Bandscheibenvorfall.

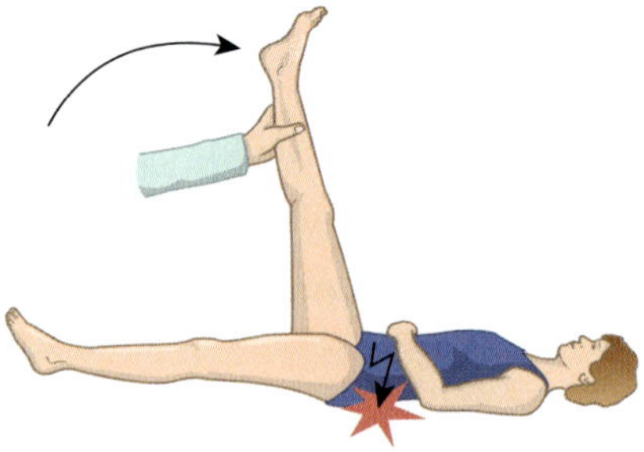

Abb. 79 **Lasègue-Zeichen**
[L138]

Läsion Verletzung, Wunde, Schädigung

latent verborgen, ohne Symptome

lateral Ansicht von der Seite

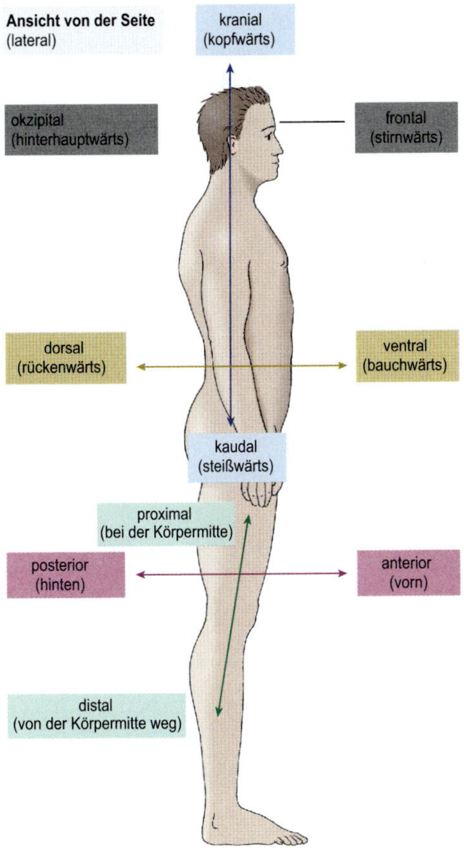

Abb. 80 **Lateral**
[L190]

Laxativum (Mehrzahl: Laxanzien) Abführmittel. Medikament zur Förderung des Stuhlgangs.

Leberzirrhose Endstadium einer Lebererkrankung. Knotig-narbiger Umbau der Leber.

letal tödlich

Leukopenie Verminderung der Leukozyten im Blut

Leukozyten weiße Blutkörperchen

Leukozytose Vermehrung der Leukozyten

lingual die Zunge betreffend

Linksherzhypertrophie Vergrößerung des Herzmuskels und der linken Herzkammer

Lipid (Mehrzahl: Lipide) Fett(e)

livide bläuliche Verfärbung der Haut

Lochien Wochenfluss. Ausfluss aus der Vagina nach der Entbindung.

Logopädie Stimmtherapie und Sprachtherapie

lokal örtlich begrenzt

Lokalistation an einer bestimmten Stelle

lokomotorisch den Gang betreffend

lokomotorische Ataxie Störung der Bewegungskoordination

Low-Dose niedrige Dosierung

Low-Dose-Heparinisierung Verabreichung einer geringen Dosis Heparin zur Verhinderung von Thrombenbildung. Zum Beispiel bei Bettlägerigkeit.

Lumbago plötzlich auftretende Rückenschmerzen im Bereich der Lendenwirbelsäule

Lufu **Lu**ngen**fu**nktionstest. Untersuchung zur Messung der Funktion von Lunge und Atemwegen

Lumen, Lumenweite Weite eines Hohlkörpers. Zum Beispiel: der Durchmesser eines Katheters oder eines Hohlorgans.

Lungenembolie Verstopfung von Lungengefäßen durch ein Blutgerinnsel

Lungenemphysem Überblähung der Alveolen

Lungenentzündung (Pneumonie) Entzündung der Lungenbläschen (Alveolen) und des Bindegewebes der Lunge

Lungenfunktionstest (kurz Lufu) Untersuchung zur Messung der Funktion von Lunge und Atemwegen

Luxation Verrenkung oder Auskugeln eines Gelenks

Lymphdrainage Massage zum Ausstreichen bei Lymphstauungen

Lymphozyten kleine weiße Blutkörperchen mit Abwehrfunktion

-lyse Auflösung. Zum Beispiel Hämolyse (Auflösung von roten Blutkörperchen).

Lysetherapie medikamentöse Auflösung von Blutgerinnseln

M

Magensonde Im Magen liegender Schlauch zur Versorgung mit Nährstoffen oder Aspiration von Mageninhalt.

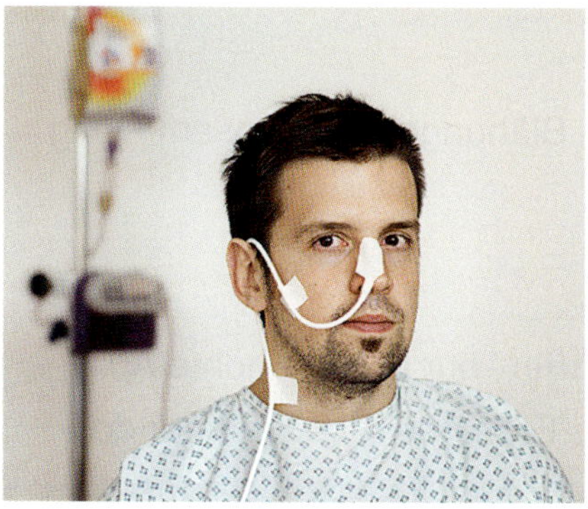

Abb. 81 **Magensonde**
[K115]

Magnetresonanzangiographie (kurz MR-Angiografie) bildgebendes Verfahren zur Darstellung von Blutgefäßen

Magnetresonanztomographie (kurz MRT) Verfahren zur Darstellung von Körperstrukturen. Vor allem von Weichteilen.
Das MRT verwendet keine Röntgenstrahlen, sondern ein Magnetfeld.

major groß, größer

Makro- groß, lang

Makroangiopathie Erkrankung der großen Blutgefäße

Makrobewegungen Positionswechsel zur vollständigen Druckentlastung

Makrohämaturie sichtbares Blut im Urin

makroskopisch mit dem Auge sichtbar

Malabsorbtion Die Aufnahme von Nährstoffen aus dem Verdauungstrakt ist gestört.

Malassimilationssysndrom Der Körper kann die zugeführten Nährstoffe nicht verwerten.

Malazie Erweichung

Maldigestion Die Verdauung der Nahrung ist gestört.

malgine bösartig

Malnutrition Mangelernährung, Fehlernährung

Malnutrition Universal Screening Tool (kurz MUST) Instrument, um den Ernährungszustand eines Patienten festzustellen.

Mammakarzinom Brustkrebs

Mandrin Führungsstab zum Einführen von Kanülen, Sonden und Kathetern. Nach der Positionierung wird der Mandrin entfernt.

Manifestation Zeitpunkt, an dem eine Krankheit erkennbar wird.

Manometer Druckmessgerät

manuell mit den Händen

manuelle Pulsmessung Der Puls wird mit den Händen gemessen.

maskulin männlich

Mastitis Entzündung der Brustdrüse

Mazeration Aufweichen der Haut

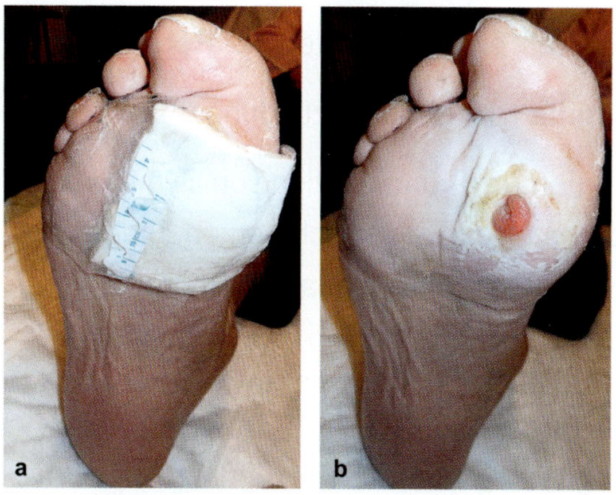

Abb. 82 **Mazeration** a) Falsche Versorgung mit Wundverband. b) Mazeration als Folge der falschen Wundversorgung.
[M291]

MDK **M**edizinischer **D**ienst der **K**rankenkassen
Der MDK stellt sicher, dass Leistungen der Versicherung allen Versicherten in gleichem Maße zugutekommen.

mechanischer Ileus Darmabschnitt ist durch Tumor, Fremdkörper oder Kompression verengt.
Ein Ileus kann auch durch eine Darmlähmung entstehen. Das nennt man: paralytischer Ileus.

medial in der Mitte gelegen

Median Mittellinie

Medulla oblongata verlängertes Rückenmark

Medulla renalis das fein gestreifte Nierenmark

Mekonium erster Stuhlgang beim Neugeborenen

Meläna Teerstuhl. Ausscheidung von schwarzem Stuhl.

Membrana synovialis Innenschicht der Gelenkkapsel

Menarche erstes Auftreten der Regelblutung

Meningitis Hirnhautentzündung

Meningismus Kombination von Symptomen: Nackensteifigkeit, Kopfschmerzen, Fieber, Lichtempfindlichkeit. Ursache: Erkrankung der Hirnhäute.

Meningen Hirnhäute

Meningoenzephalitis Entzündung von Hirnhäuten und Gehirn

Menopause letzte Regelblutung

metabolisch den Stoffwechsel betreffend

Metabolismus Stoffwechsel

Metastase Tochtergeschwür eines bösartigen Tumors

Metastasierung Verbreitung der Tochtergeschwülste im Körper über verschiedene Wege

Meteorismus Blähungen, Gasansammlung im Darm

Mikro- klein

Mikroalbuminurie nur leicht erhöhte Ausscheidung des Eiweißes Albumin über den Urin

Mikroangiopathie Erkrankung der kleinen Blutgefäße

Mikrobewegungen sehr kleine Veränderungen der Position

Mikroembolien Verschluss sehr kleiner Blutgefäße durch ein Gerinnsel

Mikrohämaturie Ausscheidung von wenig Blut im Urin. Ist mit dem Auge nicht sichtbar.

Mikrolagerung Geringe Lageveränderung des Patienten mit kleinen Kissen oder Handtüchern. Ziel: Nachahmung der natürlichen Minibewegungen, die der gesunde Mensch im Tagesverlauf unbemerkt durchführt.

mikroskopisch mit dem Auge nicht sichtbar

Miktion Entleerung der Harnblase

Milieu Umgebung

Mimik Veränderung im Gesicht als Ausdruck von Empfindungen, Gedanken und Reaktionen.

Mineralstoffe Stoffe, die in der Nahrung vorkommen. Sie sind lebensnotwendig.

Mini Nutritional Assesment (kurz MNA) Instrument zur Erfassung des Ernährungszustands. MNA wird vor allem zur Feststellung einer Mangelernährung verwendet.

Miosis, Miose Verengung der Pupille

Miserere Erbrechen von Stuhl

Mitralklappe Auch Biskuspidalklappe genannt. Zweizipfelige Herzklappe zwischen linkem Vorhof und linker Kammer.

mmHg Millimeter-Quecksilbersäule. Eine Druckeinheit. Sie wird verwendet, um Druckangaben von Körperflüssigkeiten zu machen.
Hg ist das chemische Zeichen für Quecksilber.
mmHg steht für: Millimeter-Quecksilbersäule.

MNA **M**ini **N**utritional **A**ssesment
Instrument zur Erfassung des Ernährungszustands. MNA wird vor allem zur Feststellung einer Mangelernährung verwendet.

mobil beweglich

Monitoring Überwachung der Vitalzeichen mit einem Gerät

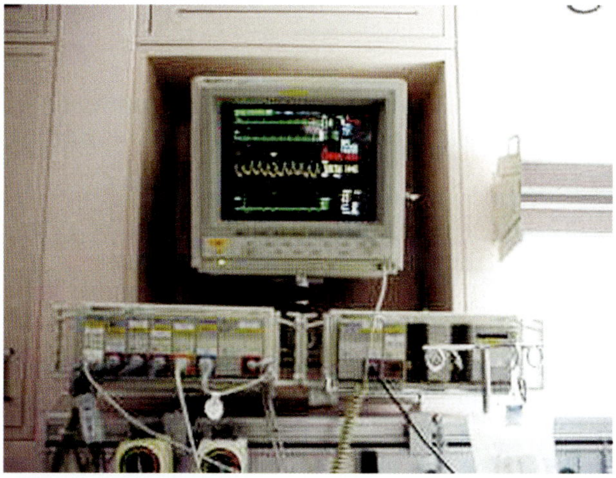

Abb. 83 **Monitoring**
[E1118]

Morbidität Häufigkeit von Erkrankungen

Morbus Krankheit

Morbus Crohn chronisch-entzündliche Darmerkrankung

Morbus Parkinson Neurodegenerative Erkrankung mit Rigor, Tremor und Akinese als Leitsymptomen. Ohne bekannte Ursache. Über die Jahre fortschreitender Verlauf.

Mortalität Sterblichkeit

Motilität Beweglichkeit

Motivation Antrieb, Gründe für die Durchführung einer Tätigkeit

Motorik Die Gesamtheit der aktiven, koordinierten Bewegungen des menschlichen Körpers.

motorisches Rindenfeld Bereich im Gehirn. Ist für die willkürlichen Bewegungen zuständig.

MR-Angiografie **M**agnet**r**esonanz**a**ngiographie. Bildgebendes Verfahren zur Darstellung von Blutgefäßen

MRSA multiresistenter Krankenhauskeim

MRT **M**agnet**r**esonanz**t**omographie
Verfahren zur Darstellung von Körperstrukturen, vor allem von Weichteilen.
Das MRT verwendet keine Röntgenstrahlen, sondern ein Magnetfeld.

Mukosa Schleim

Mukoviszidose Angeborene Stoffwechselerkrankung. Der Schleim in den Lungen und anderen Organen wird zäh und klebrig.

multifaktoriell durch viele Einflüsse bedingt

Multimorbidität viele Erkrankungen sind gleichzeitig vorhanden

Mundsoor Pilzerkrankung im Mund

Musculus biceps brachii zweiköpfiger Armbeugemuskel

Musculus triceps brachii dreiköpfiger Armmuskel

Muskelatrophie Abbau der Muskeln

Muskelhypertonie Steigerung der Muskelspannung in Ruhe

Muskelrelaxans (Mehrzahl: Muskelrelaxanzien) Medikament zur Lähmung der Muskelspannung

Muskeltonus Spannungszustand des Muskels

MUST **M**alnutrition **U**niversal **S**creening **T**ool Instrument, um den Ernährungszustand eines Patienten festzustellen.

Myalgie Muskelschmerz

Myelitis Entzündung des Rückenmarks

Mykose Pilzerkrankung

Myokard Muskelschicht der Herzwand

Myokardinfarkt Herzinfarkt

N

NaCl 0,9 % Natriumchlorid, Kochsalzlösung

Nahrungsapplikation Verabreichung von Nahrung

Nahrungskarenz Verzicht auf Nahrung für eine bestimmte Zeit

Narkose Der Patient wird durch betäubende Mittel in einen schlafähnlichen Zustand gebracht. Das Bewusstsein und die Schmerzempfindung sind ausgeschaltet.

nasal die Nase betreffend

nasogastrale Sonde über das Nasenloch eingeführte Magensonde

Nausea Übelkeit, Brechreiz

Neglect Störung der Aufmerksamkeit durch neurologische Schädigungen. Der Patient kann eine Körperhälfte nicht mehr wahrnehmen.

Nekrose Absterben von Gewebe

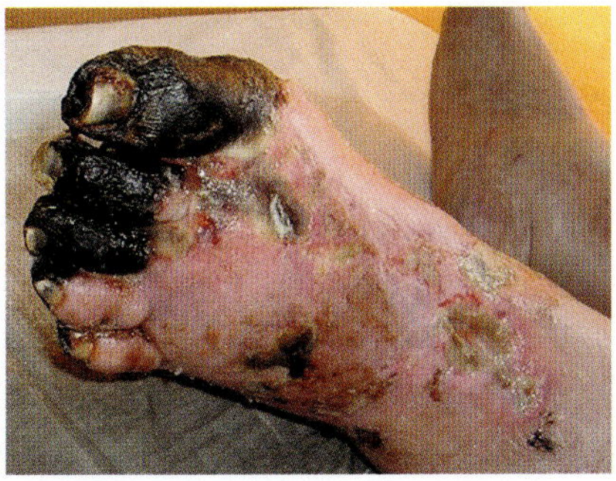

Abb. 84 **Nekrose** Erkennbar an der Schwarzfärbung des abgestorbenen Gewebes.
[M291]

Nephritis Nierenentzündung

Nephro- Nieren-

Nephrologie Lehre der Nierenkrankheiten

Nephrolithiasis Nierensteine

Nephropathie Nierenschädigung

Neugeborenes Kind von der Geburt bis zum Alter von 4 Wochen

neural die Nerven betreffend

Neuralgie Nervenschmerz

neurodegenerativ Verlust von Nervenzellen

Neuroleptikum (Mehrzahl: Neuroleptika) Medikament gegen: Erregungszustände, Halluzinationen, Störungen des Erlebens, Wahn.

Neurologie Lehre der Nerven und des Gehirns

Neuron Nervenzelle

neuronale Reizweiterleitung Reizaufnahme von Nervenzellen und Weiterleitung der enthaltenen Informationen

Neuronen Nervenzellen

Neuropathie Nervenschädigung

Neurotransmitter Chemische Botenstoffe. Sie befinden sich zwischen den Nervenzellen.

niederfrequent geringe Schwingungen

Niereninsuffizienz Nierenschwäche, Nierenversagen.
Die Nieren sind nur eingeschränkt oder gar nicht mehr fähig, harnpflichtige Substanzen auszuscheiden.

Nifedipin Medikament zur Blutdrucksenkung

Nitrate Medikamente zur Erweiterung der Blutgefäße

Nitroglyzerin-Spray Spray, das unter die Zunge gesprüht wird. Das Spray entspannt die Muskulatur der Blutgefäße. Dadurch erleichtert es die Arbeit des Herzens.

nonverbal Kommunikation ohne Worte

Non-touch-Prinzip Aseptische Arbeitsweise. Körperstellen und Materialien werden nur mit sterilen Instrumenten oder mit sterilen Handschuhen berührt. Berührung nie mit bloßen Händen.
Anwendung: beim Verbandswechsel.

Noradrenalin Botenstoff mit Wirkung auf Herz und Gefäße

Norton Skala Instrument zur Risikoeinschätzung von Dekubitus

nosokomiale Infektion Infektion, die im Krankenhaus erworben wurde.

nosokomiale Pneumonie Der Patient hat die Pneumonie (Lungenentzündung) bei einem Aufenthalt in einem Krankenhaus bekommen.

Nozizeptor Rezeptor zur Schmerzwahrnehmung

NRS **N**utritional **R**isk **S**core
Instrument, um Mangelernährung festzustellen.

NSAR **N**icht-**s**teroidale **A**nti**r**heumatika
Medikamentengruppe. Diese Medikamente wirken: schmerzlindernd, fiebersenkend und entzündungshemmend.

NSTEMI Nicht-ST-Hebungsinfarkt
Herzinfarkt, bei dem im EKG keine länger anhaltende ST-Hebung sichtbar ist.

Nutritional Risk Score (kurz NRS)
Instrument, um Mangelernährung festzustellen.

NYHA Stadien Stadieneinteilung zur Einschätzung der Herzinsuffizienz

Nykturie vermehrte Urinausscheidung während der Nacht

Nystagmus unkontrollierte Augenbewegungen

O

O_2 Sauerstoff

Oberkörperhochlagerung Positionierung zur Verbesserung der Atmung.
Anwendungen bei Atemnot, Schädel-Hirn-Verletzungen oder Herzinsuffizienz.

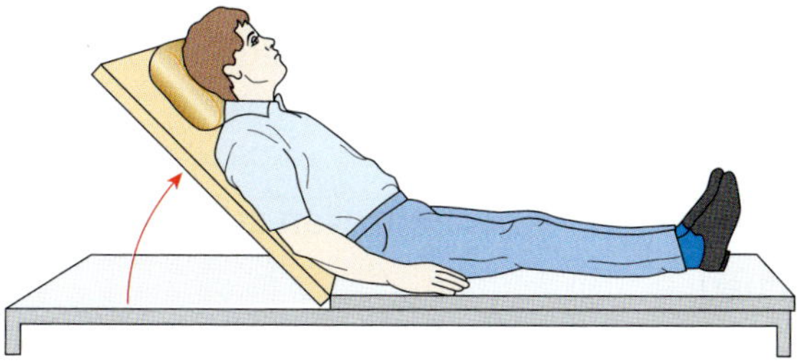

Abb. 85 **Oberkörperhochlagerung**
[L143]

Objektivität Betrachtung ohne Einfluss der persönlichen Meinung

obligatorisch verpflichtend

Obstipation Verstopfung

Obstruktion Verschluss, Verengung

obstruktive Ventilationsstörung Verengung der Bronchien in der Lunge. Die Luft kann nur schwer ausgeatmet werden.

Ödem Ansammlung von Flüssigkeit im Gewebe

Okklusivverband Luftdichte Abdeckung des behandelten Hautareals mit einer Plastikfolie. Ziel: intensivere Aufnahme der Wirkstoffe über die Haut.

okkult verborgen, nicht sichtbar

okkultes Blut Blut im Stuhl, das nicht mit den Augen zu sehen ist.

olfaktorisch den Geruchssinn betreffend

Olig-, oligo- wenig, gering

Oligurie Reduzierung der Urinmenge auf weniger als 500 ml in 24 Stunden.
Leitsymptom beim akuten Nierenversagen.

OP **Op**eration
Eingriff in den Körper mit Instrumenten. Zur Therapie oder Diagnostik.

operabel ein chirurgischer Eingriff ist möglich

Operation (kurz OP) Eingriff in den Körper mit Instrumenten. Zur Therapie oder Diagnostik.

Opiod Medikament zur Bekämpfung sehr starker Schmerzen. Hohe Gefahr der Abhängigkeit.

optisch zum Auge gehörend, mit dem Auge erkennbar

oral über den Mund

Orthese Medizinisches Hilfsmittel zur Ruhigstellung, Stabilisierung und Entlastung. Wird angewendet bei Extremitäten oder Wirbelsäule.

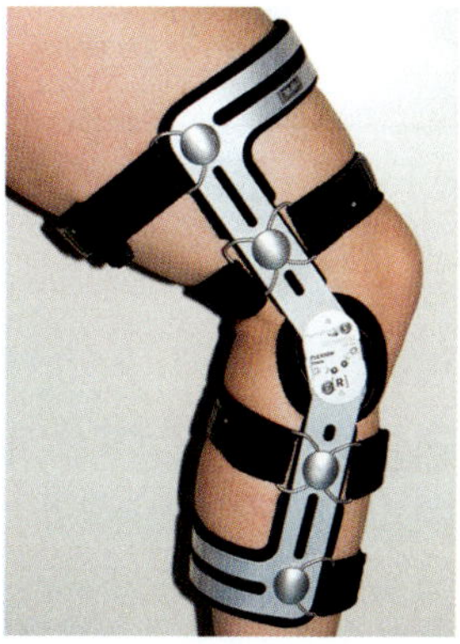

Abb. 86 **Orthese** Hier am Kniegelenk
[F427]

Orthopädie Lehre des Bewegungsapparats

Orthopnoe Höchste Atemnot. Nur durch den aufgerichteten Oberkörper kommt genug Luft in die Lunge.

orthostatische Hypotonie PlötzlicherAbfall des Blutdrucks nach raschem Aufstehen aus dem Liegen. Führt zu Schwindel oder Ohnmacht.

Os Knochen

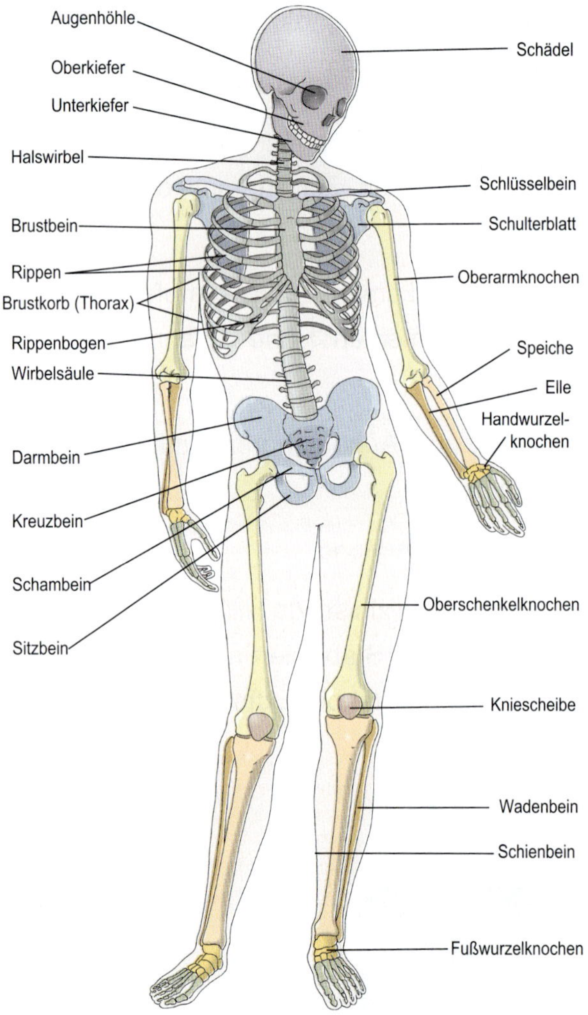

Abb. 87 **Os** Das menschliche Skelett mit den wichtigsten Knochen
[L190]

Os pubis Schambein

Osmolarität Anzahl der gelösten Teilchen in einer Flüssigkeit

Osmose Bewegung von Teilchen zu einem Ort mit höherer Teilchenkonzentration

Ösophagus Speiseröhre

Ösophagusatresie Verschluss der Speiseröhre

Ösophagusstenose Verengung der Speiseröhre

Ösophagusvarizenblutung Blutungen aus Varizen in der Speiseröhre. Varizen sind erweiterte Venen mit knotigen Veränderungen.

Ost-, osteo- Knochen-

Osteoblasten Knochenzellen zum Knochenaufbau

Osteodensitometrie Messung der Knochendichte

Osteoklasten Knochenzellen zum Knochenabbau

Osteomalazie Erweichung der Knochen

Osteomyletitis Entzündung des Knochenmarks

Osteoporose Erkrankung des Knochenstoffwechsels mit verminderter Knochenmasse und Knochenbildung. Als Folge tritt eine erhöhte Knochenbrüchigkeit auf.

Osteosarkom bösartiger Knochentumor

Osteosynthese Operation zur Behandlung von Knochenbrüchen

Ovar (Mehrzahl: Ovarien) Eierstock

Ovulation Eisprung

Ovulationshemmer Medikament zur Verhütung von Schwangerschaften

Oxygenierung Zufuhr von Sauerstoff

P

Pädiatrie Kinderheilkunde und Jugendheilkunde

palliativ Behandlung der Krankheit dient nur zur Linderung der Symptome. Die Krankheit kann nicht geheilt werden.

Pallitive Care Versorgung von Patienten und deren Angehörigen bei unheilbaren Krankheiten

Palma Handfläche

palmar zur Handinnenfläche hin

Palpation Untersuchung des Körpers durch Betasten

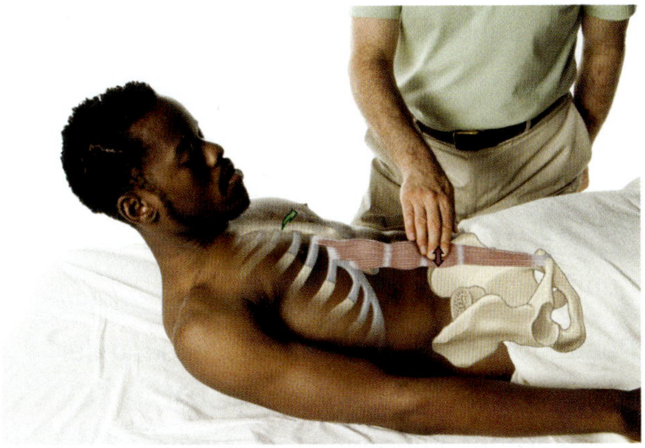

Abb. 88 **Palpation**
[E607-004]

palpierbar tastbar

Palpitation Herzklopfen

Pankreas Bauchspeicheldrüse

Pankreatitis Entzündung der Bauchspeicheldrüse

paradoxe Atmung Atemstörung. Umgekehrte Atmung: Der Brustkorb bewegt sich beim Einatmen nach innen und beim Ausatmen nach außen.

paradoxe Diarrhö Obstipation und Durchfall treten im Wechsel auf.

Parästhesie Missempfindungen. Zum Beispiel: Kribbeln, elektrisierende Schmerzen.

parallel gegenüberliegend, gleichseitig

Paralyse komplette Lähmung

paralytischer Ileus Darmabschnitt ist durch Lähmung der Peristaltik verengt.
Ein Ileus kann auch durch einen Fremdkörper oder Tumor entstehen. Das nennt man: mechanischer Ileus.

Parameter Messgröße

Paraplegie vollständige Lähmung beider Arme oder beider Beine

Parasympathikus Teil des vegetativen Nervensystems. Der Parasympathikus sorgt für Entspannung und Erholung von Organfunktionen. Gegenspieler: Sympathikus.

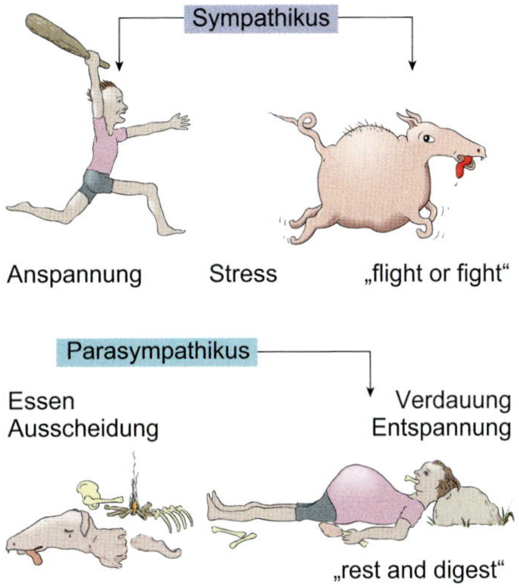

Abb. 89 **Parasympathikus** Hier im Vergleich zu seinem Gegenspieler: dem Sympathikus.
[L190]

paravenös neben der Vene

parenteral Verabreichung von Medikamenten oder anderen Stoffen, ohne dass diese den Magen-Darm-Trakt passieren müssen.

parenterale Ernährung Ernährung unter Umgehung des Magen-Darm-Trakts

Parese Teillähmung. Bestimmte Muskeln oder Extremitäten können nicht bewegt werden.

Parkinson-Syndrom Verlangsamte Bewegungen oder ausgeprägte Bewegungsarmut mit Muskelsteife, Ruhetremor und Haltungsinstabilität.

Parotitis Entzündung der Ohrspeicheldrüse

Parotitisprophylaxe Maßnahmen, um das Auftreten einer Ohrspeicheldrüsenentzündung zu verhindern.

Partialdruck Teildruck eines Gases in der Atemluft

partiell teilweise

passager vorübergehend

passiv Eine Handlung wird nicht selbstständig durchgeführt. Zum Beispiel: Eine Pflegefachperson bewegt die Beine eines Patienten durch. Der Patient bewegt dabei die Beine nicht selbstständig. Gegenteil: aktiv.

Patella Kniescheibe

pathogen verursacht Krankheiten

Pathogenese Entstehung von Krankheiten

Pathologie Lehre von Krankheiten

pathologisch krankhaft

pathologische Hypertonie krankhafte Erhöhung des Blutdrucks

Pathophysiologie Lehre von Funktionsstörungen im menschlichen Körper

pathophysiologisch krankhaft verändert

Patient Person, die ärztliche und pflegerische Betreuung benötigt.

Patientenverfügung Die Patientenverfügung ist ein Dokument. In diesem Dokument legt ein Patient fest, welche Eingriffe und Behandlungen durchgeführt werden dürfen. Dieses Dokument ist gültig, wenn ein Patient nicht mehr selbst sagen kann, welche Behandlung er möchte.

pAVK **p**eriphere **a**rterielle **V**erschluss**k**rankheit
Eine Verschlusskrankheit der Arterien der Beine. Ablagerungen in den Blutgefäßen führen zur Verengung. Die Folge ist ein Mangel an Sauerstoffversorgung der betroffenen Gefäße.

PCI perkutane Koronarintervention
Verfahren zur Erweiterung der verengten Herzkranzgefäße bei einer Herzkatheteruntersuchung.

Peak-Flow-Meter Gerät zur Messung der Ausatmung und Atemkontrolle bei chronischen Lungenerkrankungen.

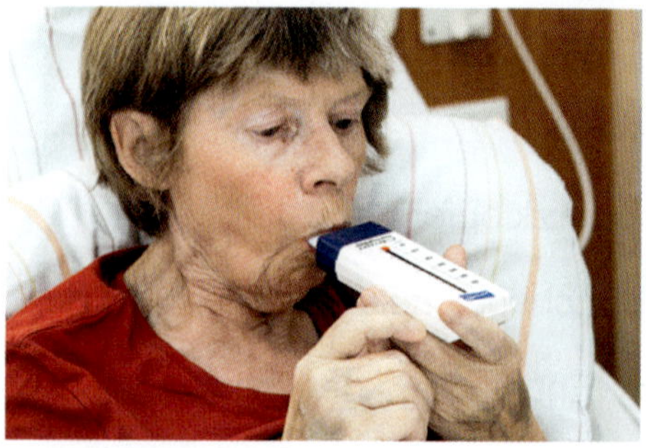

Abb. 90 **Peak-Flow-Meter**
[K115]

PEG **p**erkutane **e**ndoskopische **G**astrostomie
Künstlicher Zugang zum Magen durch die Bauchdecke. Zur Ernährung von Patienten, die nicht mehr essen oder schlucken können.

A B C D E F G H I J K L M N O P Q R S T U V W X Y Z

Pelvis Becken

Pelvis renalis Nierenbecken

Penetration Eindringen in angrenzendes Gewebe oder Organe

PEP-Atmung Ausatmung gegen einen Widerstand

Perforansvene Verbindung zwischen tiefen und oberflächlichen Venen

Perforation Durchbruch

Perfusion Durchströmung mit Flüssigkeiten oder Blut

periartikuläre Ossifikation Verknöcherung außerhalb des Knochens. Zum Beispiel in Muskulatur oder Sehnen.

peri-

1. zeitlich: während
2. örtlich: um … herum

Perikard Herzbeutel

Perikarderguss Erguss im Herzbeutel

Perikarditis Entzündung des Herzbeutels

perioperativ Zeit während des operativen Eingriffs

Periost Knochenhaut

peripher in den äußeren Bereichen des Körpers liegend

periphere Neuropathie periphere Nervenstörungen

periphere Verweilkanüle Gefäßzugang in peripheren Körpervenen. Zum Einbringen von Infusionen oder Medikamenten.

peripheres Nervensystem Teil des Nervensystems. Alle Nerven, die das Gehirn und Rückenmark verlassen und zu den Muskeln oder anderen Organen verlaufen.

Peristaltik Wellenförmig verlaufende Muskelbewegungen im Verdauungstrakt. Durch diese Muskelbewegungen wird der Magen-Darm-Inhalt weitertransportiert.

Peritoneum Bauchfell

Peritonitis Entzündung des Bauchfells

Perkussion Untersuchung des Körpers durch Abklopfen

perkutan durch die Haut

perkutane endoskopische Gastrotomie (kurz PEG) Künstlicher Zugang zum Magen durch die Bauchdecke. Zur Ernährung von Patienten, die nicht mehr essen oder schlucken können.

perkutane Koronarintervention (kurz PCI) Verfahren zur Erweiterung der verengten Herzkranzgefäße bei einer Herzkatheteruntersuchung.

perkutane transluminale Angioplastie (kurz PTA) Verfahren zur Aufweitung von verengten Gefäßen. Der Arzt führt einen Ballonkatheter unter radiologischer Kontrolle in das Gefäß ein.

perkutane transluminale Coronar-Angioplastie (kurz PTCA) Verfahren zur Aufweitung der Herzkranzgefäße. Der Arzt führt einen Ballonkatheter von außen durch die Haut in die Gefäße. Manchmal wird auch ein Stent implantiert.

permanent dauerhaft

permeabel durchlässig

perioral, per os durch den Mund

Perspiratio insensibilis unmerklicher Flüssigkeitsverlust über Haut und Atmung

Perspiratio sensibilis merklicher Flüssigkeitsverlust durch Schwitzen

Pertussis Keuchhusten

Petechien punktförmige Hauteinblutungen

Petit-mal-Anfall kleiner Krampfanfall mit nur kurzem Verlust der Aufmerksamkeit

Pflegeassessment Methoden zur Einschätzung der Pflegebedürftigkeit eines Patienten

Pflegebedürftigkeit Personen, die aufgrund von körperlichen oder psychischen Beschwerden auf Unterstützung dauerhaft angewiesen sind.

Pflegediagnose Einschätzung zur Pflegebedürftigkeit und zu pflegerischen Eingriffen bei einem Patienten.

Pflegegrad Einschätzung der Pflegebedürftigkeit eines Patienten. Die Einteilung erfolgt in 5 Pflegegrade. Der Pflegegrad ist entscheidend für die Leistungen der Pflegekasse.

Pflegekomplexmaßnahmenscore (kurz PKMS) Instrument zur Einteilung des pflegerischen Aufwands

Pflegephänomen Pflegeproblem oder Pflegediagnose

Pflegeprozess Arbeitsmethode in der beruflichen Pflege. Dabei geht es um die Zielsetzung, Durchführung und Evaluation der Pflegemaßnahmen. Der Pflegeprozess ist die Grundlage für die professionelle Versorgung eines Patienten.

Pflegequalität Übereinstimmung von der Zielsetzung und der Durchführung von Pflegemaßnahmen

Pflegestandard Instrument zur Qualitätssicherung der Pflege

Pflegestufe Alte Einstufung der Pflegebedürftigkeit. Aktuell gilt die Einstufung nach Pflegegraden.

Pflegetheorie wissenschaftliche Konzepte zur Einschätzung von Pflegesituationen

Pflegevisite Regelmäßig stattfindende Gespräche zwischen Pflegefachpersonen und Patienten. Dabei wird über die pflegerische Situation des Patienten gesprochen.

Pfortader Vene, die Blut von Magen, Darm, Bauchspeicheldrüse und Milz zur Leber leitet. Dieses Blut enthält wenig Sauerstoff und viele Nährstoffe.

Pharynx Rachen

Phimose Verengung der Vorhaut am Penis

phleb-, phlebo- Venen-

Phlebitis Entzündung der Venen

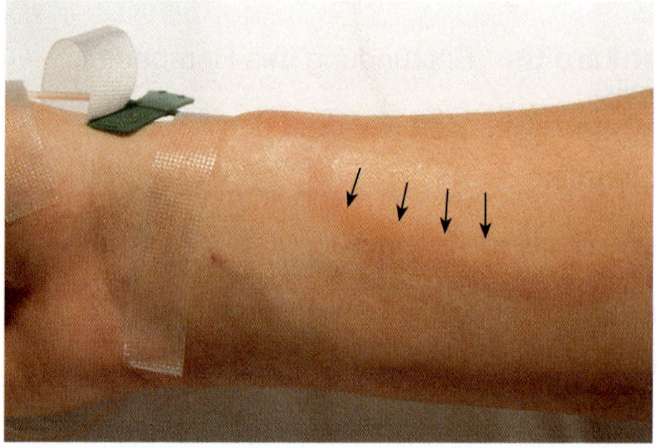

Abb. 91 **Phlebitis** Die Venenentzündung entsteht oft bei intravenösen Infusionen.
[M180]

Phlebografie Röntgenuntersuchung von Venen mit Kontrastmittel

Phlebologie Lehre der Venen und der Venenerkrankungen

Phlebothrombose Verschluss einer Vene durch eine Thrombose

Phobie Übertriebene Angst vor Situationen oder Gegenständen

Phosphat Mineralstoff zum Aufbau von Knochen und Zähnen

pH-Wert Potential des Wasserstoffs. Wert, der angibt, wie sauer oder basisch ein Stoff ist. Der pH-Wert des Urins gibt Aufschluss über die im Urin gelöste Menge an Säuren. Der physiologische pH-Wert liegt zwischen 5 und 6. Also ist der pH-Wert schwach sauer. Säurekonzentration und pH-Schwankungen können durch die Ernährung physiologisch verändert werden.

physiologisch normale, gesunde Lebensfunktion

physiologische Ausscheidung natürliche oder gesunde Ausscheidung

physiologische Hypertonie Bluthochdruck durch normale Umstände.
Zum Beispiel: Sport oder kurzzeitiger Stress.

physiologische Hypotonie Niedriger Blutdruck durch normale Umstände.
Zum Beispiel: Schlafen.

Physiotherapie Krankengymnastik. Ziel: Verbesserung, Erhaltung oder Wiederherstellung von Bewegungen und Funktionen.

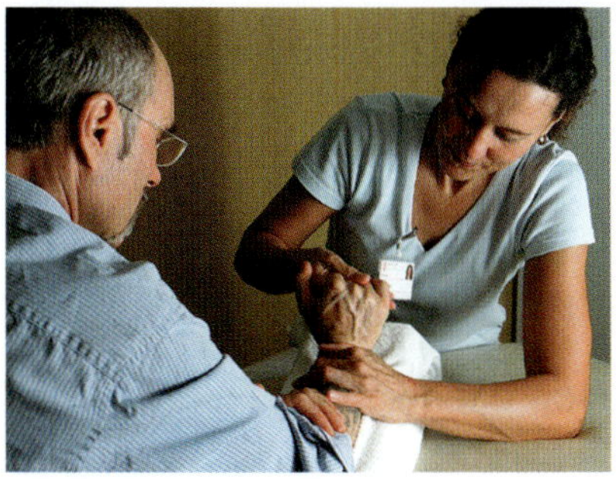

Abb. 92 **Physiotherapie**
[K115]

Pia mater weiche Hirnhaut

PKMS **P**flege**k**omplex**m**aßnahmen**s**core Instrument zur Einteilung des pflegerischen Aufwands

Placebo Medikament ohne Wirkstoff

plantar zur Fußsohle hin

Plantareflexion Senken der Fußspitze

Plaque Ablagerung in den Gefäßwänden

Plazenta Mutterkuchen. Wichtiges Organ während der Schwangerschaft.

Pleura Brustfell

Pleuraempyem eitriger Erguss in der Pleura

Pleuraerguss Ansammlung von Flüssigkeit zwischen den Pleurablättern. Pleura ist das Fachwort für Brustfell.

Pleura-Pneumonie Lungenentzündung mit Beteiligung des Brustfells

Pleurapunktion Einführen einer Nadel in die Pleurahöhle, um die Flüssigkeit abzuziehen.

Pleuritis Entzündung des Brustfells

Pneumonie Lungenentzündung

Pneumonieprophylaxe Vorbeugung einer Lungenentzündung

Pneumonitis Lungenreizung durch Einatmen giftiger oder reizender Stoffe

Pneumothorax Luft dringt in den Pleuraspalt ein. Die Lunge kann sich nicht mehr ausdehnen. Es kommt zu einem Lungenkollaps.

Poliomyelitis Kinderlähmung

Pollakisurie häufig auftretender Harndrang bei nur kleiner Miktionsmenge

poly- viel

Polyarthritis entzündlich-rheumatische Erkrankung von vielen Gelenken

Polydipsie Gesteigerter Durst. Zum Beispiel bei: Diabetes mellitus, Diabetes insipidus, starkem Schwitzen.

Polymere Molekülketten

Polyneuropathie Schädigung der Nervenfasern mit Sensibilitätsstörungen und Schmerzen der Extremitäten

Polytrauma Mehrfachverletzung. Viele Organe und Körperstrukturen sind gleichzeitig verletzt. Oft lebensbedrohlich. Meist durch Verkehrsunfall entstanden.

Polyurie Die Ausscheidung der Urinmenge ist erhöht.

Polyvinylchlorid (kurz PVC) ein Kunststoff

Port Dauerhafter Zugang in einer Vene. Zum Einbringen von Medikamenten. Meist bei Patienten mit einer Krebserkrankung.

Porta hepatis Leberpforte

portale Hypertension Pfortaderhochdruck in der Leber

post- nach

posterior hinten, hinter

postmortal nach dem Tod

postoperativ nach einer Operation

postpartal Nach der Geburt

Pouch Dünndarmbehälter nach Entfernung von Rektum und Kolon

PPR **P**flege**p**ersonal**r**egelung

PQ-Zeit Teil des EKG. Zeit vom Beginn der P-Welle bis zum Beginn der Q-Zacke, also der Kammererregung.

prä- vor

Präkanzerose Vorstufe zur Entstehung von Krebs

Prämedikation Gabe von Medikamenten vor einer Operation

prandial zu einer Mahlzeit gehörend

präoperativ vor einer Operation

präoxygenieren Vor einer Behandlung zur Sicherheit Sauerstoff geben.

Prävalenz Häufigkeit von Krankheiten

Prävention Verhütung oder Vorbeugung von Krankheiten. Erhaltung der Gesundheit.

pränatal vor der Geburt

präventiv vorbeugend

Prilate ACE-Hemmer

primär zuerst

primäres Rindenfeld Bereich im Gehirn. Das primäre Rindenfeld regelt Sensorik oder Motorik in verschiedenen Körperteilen.

Primary Nursing Bezugspflege. Eine fest zugeordnete Pflegefachperson versorgt einen Patienten. Sie versorgt ihn von der Aufnahme bis zur Entlassung.

Prodromalstadium Frühe Krankheitsphase mit allgemeinen Symptomen. Zum Beispiel: Müdigkeit, Unwohlsein, Fieber.

produktiver Husten Husten mit Auswurf

Prognose Vorhersage zum Verlauf einer Erkrankung

progredient fortschreitend

progressiv fortschreitend

Prolaps Vorfall

prominent hervorstehend, vorragend

Pronation Drehung nach innen
Gegenteil: Supination (Drehung nach außen)

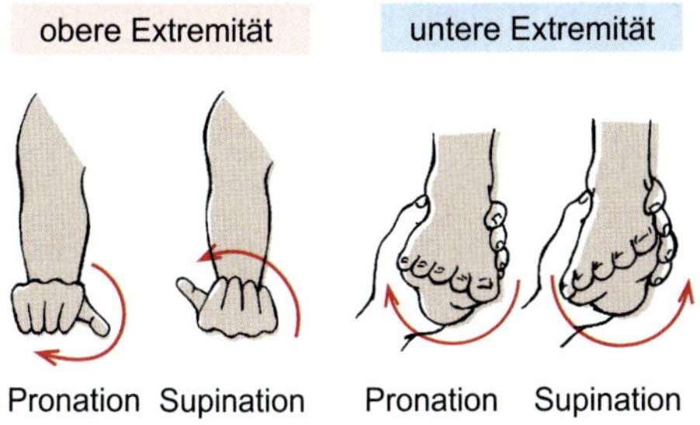

Abb. 93 **Pronation** Hier im Vergleich mit der Supination.
[L190]

prophylaktisch vorbeugend, präventiv

Prophylaxe Maßnahme zur Verhütung von Krankheiten. Maßnahme zum Erhalten der Gesundheit.

Proportionen Verhältnisse von Länge, Breite und Größe eines Körpers zueinander

propriozeptives System Mit diesem Sinn empfindet der Mensch die Lage und Bewegungen des Körpers im Raum.

Propriozeptoren Rezeptoren der Tiefensensibilität

Prostata spezifisches Antigen (kurz PSA) Wert, der zur Feststellung von Prostatakrebs untersucht wird.

Prostatitis Entzündung der Prostata

Protein Eiweiß

Proteinurie Ausscheidung von Eiweißstoffen über den Urin

protektiv schützend

Prothese künstlicher Ersatz für ein Körperteil

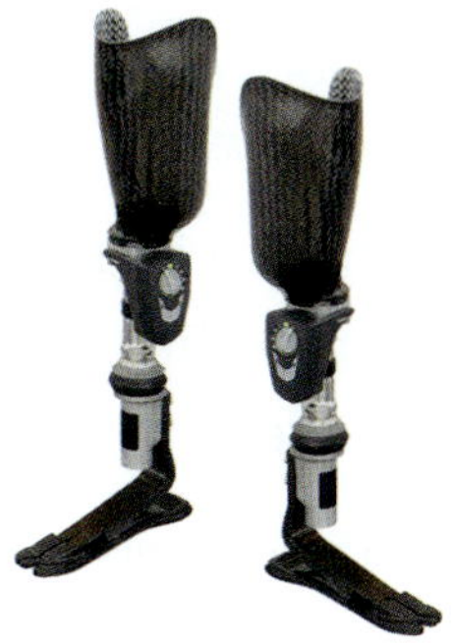

Abb. 94 **Prothese**
[J787]

Protusion Vorwölbung

proximal zum Körper hin

Prozent Prozent gibt den Anteil von etwas Ganzem an. Zum Beispiel: 50 Prozent bedeutet die Hälfte von etwas Ganzem.

Prozess Verlauf, Entwicklung

Pruritus Juckreiz

PSA **P**rostata**s**pezifisches **A**ntigen
Wert, der zur Feststellung von Prostatakrebs untersucht wird.

Psoriasis Schuppenflechte

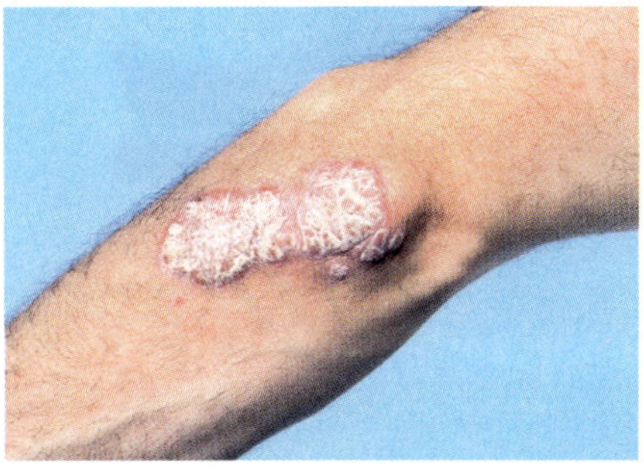

Abb. 95 **Psoriasis**
[K183]

Psyche Gefühle, Denkweisen, Gedanken, Wahrnehmungen, Vorstellungen eines Menschen

Psychiatrie Lehre der psychischen Erkrankungen

psychogen seelisch bedingt

Psychopharmaka Medikamente mit Einfluss auf das zentrale Nervensystem und Beeinflussung von Fühlen und Denken.

Psychosomatik Wechselwirkungen zwischen Körper und Psyche

Psychotherapie Behandlung von Störungen der Psyche. Es werden verschiedene Methoden angewendet. Zum Beispiel: Kommunikation und Verhaltenstraining.

PTA **P**erkutane **t**ransluminale **A**ngioplastie Verfahren zur Aufweitung von verengten Gefäßen. Der Arzt führt einen Ballonkatheter unter radiologischer Kontrolle in das Gefäß ein.

PTCA **P**erkutane **t**ransluminale **C**oronar-**A**ngioplastie Verfahren zur Aufweitung der Herzkranzgefäße. Der Arzt führt einen Ballonkatheter von außen durch die Haut in die Gefäße. Manchmal wird auch ein Stent implantiert.

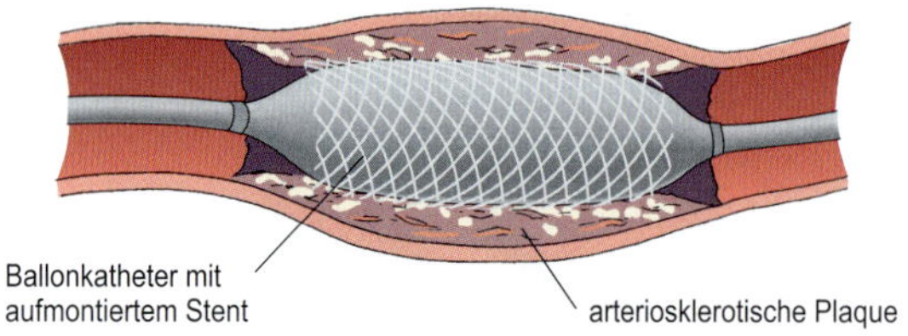

Abb. 96 **PTCA**
[L190]

pulmonal die Lunge betreffend

pulmonale Hypertonie Lungenhochdruck

Pulmonalklappe Die Pulmonalklappe ist eine der 4 Herzklappen. Sie verhindert den Rückfluss des Blutes zu Beginn der Erschlaffungsphase (Diastole) des Herzens.

Puls Der Puls ist das rhythmische Dehnen der Arterien, wenn das Herz stoßweise Blut in die Arterien drückt.

Pulsdefizit Unterschied zwischen tastbarem Puls und mit EKG oder Stethoskop gemessenem Puls

Pulsfrequenz Anzahl der Schläge des Pulses in einer Minute

Pulsoxymetrie Gerät zur Messung des Sauerstoffgehalts im Blut

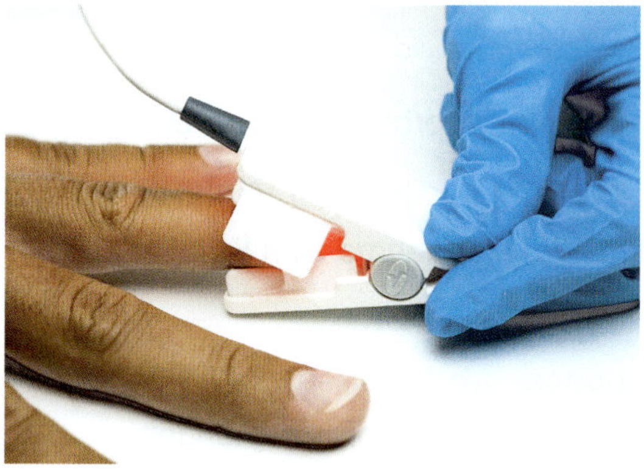

Abb. 97 **Pulsoxymetrie**
[J747]

Pulsqualität gefühlte Beschaffenheit der Pulswelle beim Tasten des Pulses

Pulsrhythmus Abfolge und Regelmäßigkeit des Herzschlags

Punktion Einstechen mit einer Nadel in Gefäße, Körperhöhlen oder Organe. Zur Flüssigkeitsentnahme oder Gewebeentnahme.

Purkinje Fasern Teil des Erregungsleitungssystems im Herzen. Die Purkinje Fasern verteilen die Erregung über die Herzkammern.

purulent eitrig

Pusher Syndrom Symptom bei Patienten nach einem Schlaganfall. Meist mit stärker betroffener linker Körperhälfte. Also wenn der Schlaganfall rechts im Gehirn eingeordnet ist. Die Betroffenen haben eine veränderte Wahrnehmung der eigenen Körperposition. Deshalb drücken sich die Betroffenen mit der weniger betroffenen rechten Seite zur linken Seite. Das Drücken geschieht im Liegen, Sitzen oder Stehen.

PVC **P**oly**v**inyl**c**hlorid
ein Kunststoff

P-Welle Teil des EKG. Die P-Welle zeigt die Vorhoferregung an und kennzeichnet den Beginn des elektrischen Herzzyklus.

Pyelon, Pelvis renalis Nierenbecken

Pyelonephritis Entzündung des Nierenbeckens

Pylorus Magenausgang, Magenpförtner

Pylorusstenose Verengung des Magenausgangs

Pyrosis Sodbrennen

Pyurie Eiter im Urin

Q

QRS-Komplex Teil des EKG. Entspricht der Kammererregung.

qualitativ Die Qualität betreffend. Qualität beschreibt die individuellen Eigenschaften einer Person.
Qualität beschreibt auch die Beschaffenheit eines Gegenstands.

quantitativ die Menge betreffend, die Anzahl

Quarantäne Isolierung einer Person, die eine Infektionskrankheit hat oder Überträger ist. Die Isolierung ist für eine bestimmte Zeit befristet.

quergestreifte Muskulatur Muskulatur des Skeletts und Herzmuskulatur

Quick-Wert Blutwert. Der Quick-Wert gibt an, wie schnell das Blut gerinnt.

Quincke-Ödem Gesichtsschwellung mit Schwellung der Atemwege

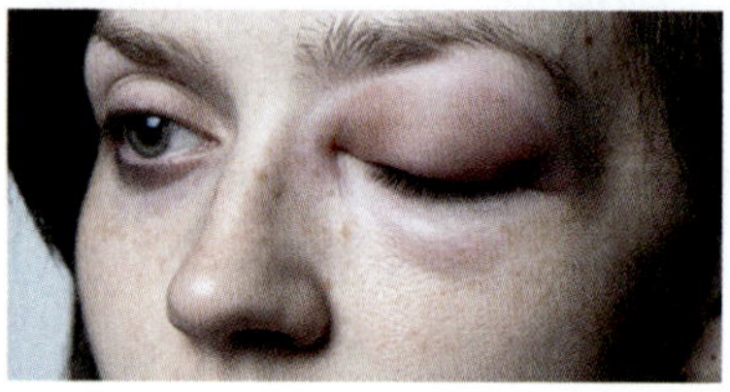

Abb. 98 **Quincke-Ödem**
[J787]

R

Radiologie Strahlenmedizin. Anwendung bestimmter Verfahren mit Bildgebung. Zum Beispiel: Röntgen.

Radius Speiche. Ein Knochen im Unterarm.

Radiusköpfchen oberes Ende des Speichenknochens

Rasselgeräusche krankhafte Geräusche beim Atmen

re- wieder, rück-

Reaktion Antwort auf einen Reiz

Reanimation Maßnahmen zur Wiederbelebung

Recapping Eine Schutzkappe wird wieder aufgesetzt. Zum Beispiel bei auf die Nadel einer Spritze.

Reflex Antwort eines Muskels auf einen Reiz. Die Antwort erfolgt sofort. Die Antwort kann nicht vom Willen beeinflusst werden.

Reflux Rückfluss. Flüssigkeit bewegt sich gegen die normale Transportrichtung. Bei einer Refluxkrankheit fließt Magensäure zurück in die Speiseröhre.

refraktär nicht beeinflussbar, unempfindlich

Regeneration Wiederherstellung, Erholung

Regression Rückbildung

Regurgitation Aufstoßen. Zurückfließen des Speisebreis im Verdauungstrakt zur Speiseröhre oder in den Rachen.

Rehabilitation Wiederherstellung. Maßnahmen, um pflegebedürftigen Menschen wieder ein selbstbestimmtes Leben zu ermöglichen.

Re-Infarkt Erneutes Auftreten eines Herzinfarkts nach vorhandenem Herzinfarkt.

Reiz Einwirkung von außen mit einer bestimmten Reaktion zur Folge

rektal den Mastdarm betreffend

Rektum Mastdarm

Reliever Erleichterungsmedikamente. Reliever lindern Beschwerden von Asthma.

renal die Niere betreffend

Renin Ein Enzym. Es wandelt Angiotensinogen in Angiotensin I um. Es wird in den Nieren gebildet. Hauptaufgabe: Blutdruck und das Flüssigkeitsvolumen im Kreislauf konstant zu halten.

reparabel etwas kann wieder hergestellt werden

Reposition Zurückführen in die ursprüngliche korrekte Position. Zum Beispiel wird eine Fraktur wieder eingerichtet.

Resektion operative Entfernung von Tumoren oder Gewebeteilen

Reservoir Behältnis, Speicherort

Residualvolumen (kurz RV) Volumen, das nach maximaler Ausatmung noch in der Lunge verbleibt. Es kann nicht ausgeatmet werden.

resorbieren, Resorption Aufnahme von Stoffen in den Körper

Respiration Atmung

Respirationstrakt Atmungssystem

respiratorisch die Atmung betreffend

respiratorische Insuffizienz Ateminsuffizienz. Schwerwiegende Störung des Gasaustausches in der Lunge.

Ressourcen Hilfsmittel des Patienten zur Bewältigung von Erkrankungen. Die Hilfsmittel können sein: körperlich, finanziell, sozial oder psychisch.

Restharn Nach dem Wasserlassen verbleibt Urin in der Blase.

retard Wirkung tritt verzögert ein

Retention

1. Ruhigstellung einer Fraktur
2. Stau, Verhalt

retikulär netzartig verzweigt

Retina Netzhaut

retroperitoneal hinter dem Bauchfell gelegen

Retroperitonealraum Bindegewebsraum zwischen der hinteren Bauchwand und dem äußeren Blatt des Bauchfells

retrosternal hinter dem Brustbein gelegen

reversibel umkehrbar, heilbar

Rezeptor Empfänger für Stoffe oder Reize

rezessiv untergeordnet

rezidiv Rückfall, Wiederauftreten einer Erkrankung

rheumatisch Erkrankung mit schmerzlicher Entzündung des Bewegungsapparats, der Gefäße und des Bindegewebes.

rhythmisch regelmäßige Abfolge von Bewegungen oder Kontraktionen

Rigidität Steifheit, Starre

Rigor Muskelsteifheit

Rindenfeld Teil im Großhirn mit verschiedenen Aufgaben

Risikofaktoren Einflüsse, die mit erhöhter Wahrscheinlichkeit zu einer bestimmten Erkrankung führen. Zum Beispiel: Rauchen, Alkohol oder Übergewicht.

Risus sardonicus Der Begriff ist Latein und heißt übersetzt: sardonisches Lachen. Die Gesichtsmuskulatur ist verkrampft. Der Patient grinst verzerrt. Das Symptom tritt vor allem bei Tetanus auf.

Riva-Rocci (kurz RR) Übliche Abkürzung für den Blutdruck.
Zum Beispiel: RR 120/80 mmHG

Röhrenknochen lange Knochen mit Knochenmark

Rotation Drehung

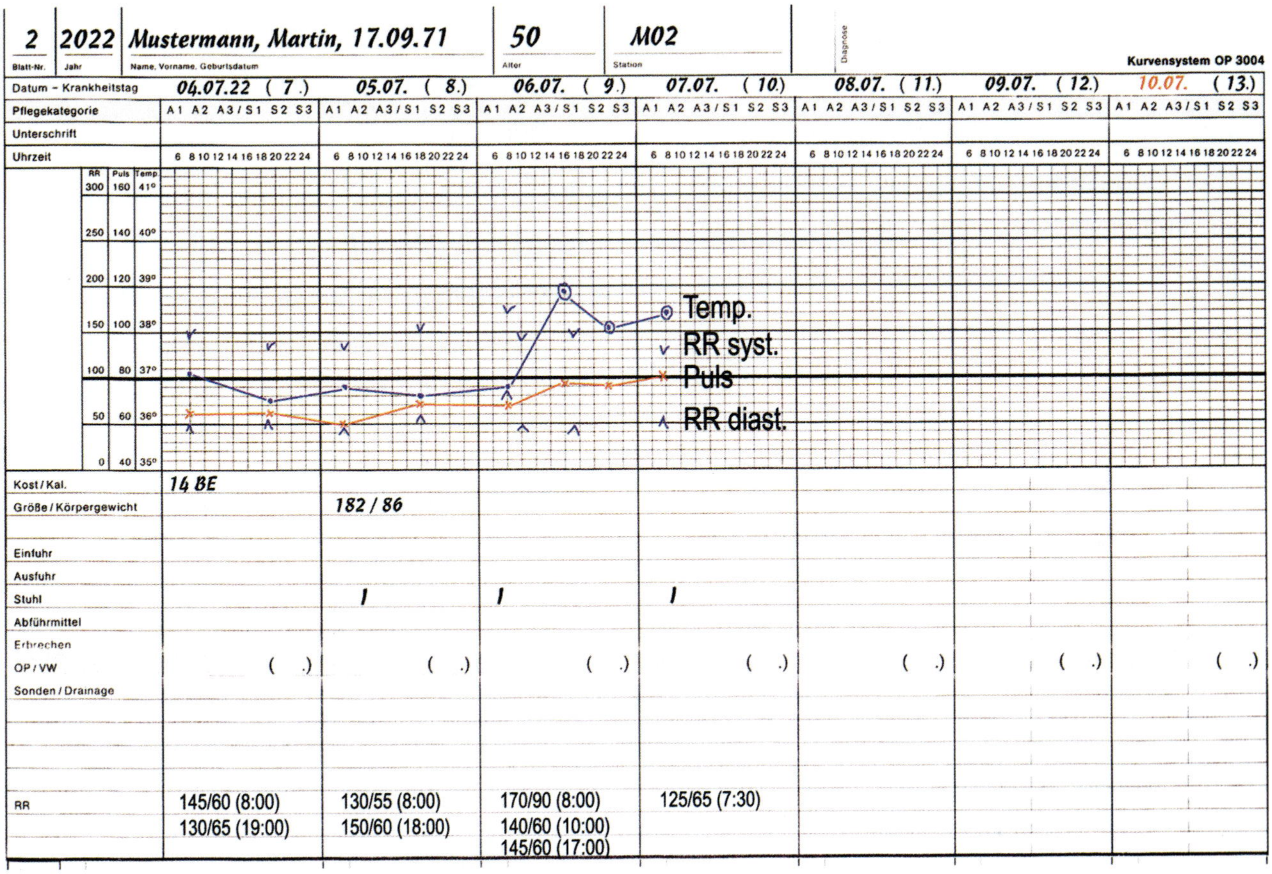

Abb. 99 **RR** Die Dokumentation von Blutdruckwerten erfolgt oft in einer Grafik. [P1069]

RR **R**iva-**R**occi
Übliche Abkürzung für den Blutdruck
Zum Beispiel: RR 120/80 mmHG.

Rubor Rötung. Eines der 5 Entzündungszeichen.

Rückresorption Die Wiederaufnahme von Stoffen, nachdem die Stoffe bereits im Körper verarbeitet wurden.

Ruhe-EKG Durchführung eines EKGs im Liegen

Ruhedyspnoe Atemnot im Liegen

Ruptur Riss

RV **R**esidual**v**olumen
Volumen, das nach maximaler Ausatmung noch in der Lunge verbleibt. Es kann nicht ausgeatmet werden.

S

Saccharide Kohlenhydrate

Sagittalachse Gedachte Achse zur räumlichen Orientierung am menschlichen Körper. Sie verläuft von vorne nach hinten durch den aufrecht stehenden Menschen.

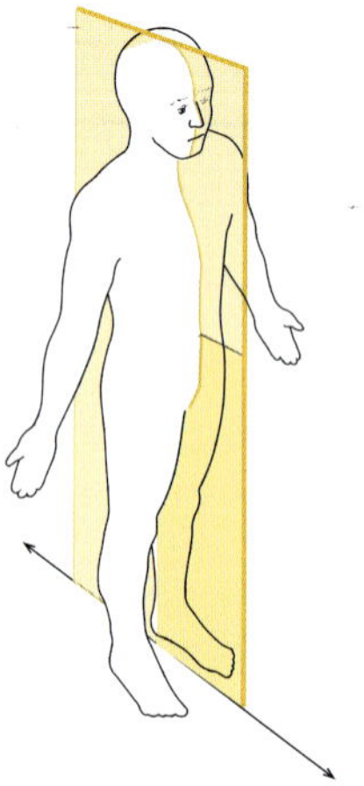

Abb. 100 **Sagittalachse**
[L190]

sakral das Kreuzbein betreffend

Salmonellen Bakterien. Erreger von Erkrankungen mit Durchfall.

Salmonellose Infektionskrankheit. Durch Salmonellen hervorgerufen.

Salutogenese Theoriemodell zur Betrachtung von Gesundheit und Krankheit. Der Schwerpunkt liegt auf den Fähigkeiten des Menschen im Umgang mit den Lebensumständen.

Sammelurin Sammlung des Urins über 24 Stunden zur Bestimmung einer im Urin enthaltenen Stoffmenge.

Sarkom bösartiger Tumor im Muskelgewebe, im Nervengewebe, im Bindegewebe oder im Stützgewebe

Sauerstoffpartialdruck Druck, unter dem Sauerstoff im Blut gelöst vorliegt.

Sauerstoffsättigung Sauerstoffkonzentration im Blut

Sauerstofftherapie Maßnahmen, um die Sauerstoffkonzentration im Blut zu erhöhen.

Schellong-Test Untersuchung der Kreislauffunktion. Der Schellong-Test wird bei Patienten mit unklaren Stürzen und Schwindelanfällen gemacht.

Scherkräfte Durch Verschiebung entstehende Kraftwirkung zwischen Haut und den darunter liegenden Schichten. Scherkräfte sind ein wichtiger Faktor bei der Entstehung von Dekubitus.

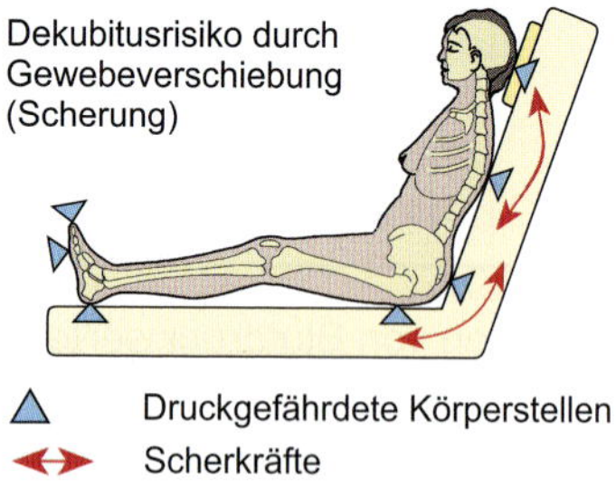

Abb. 101 **Scherkräfte**
[L157]

Schlagvolumen Menge an Blut, die das Herz bei einem Herzschlag in den Körper pumpt.

Schnappatmung Einzelne schnappende Atemzüge zwischen langen Atempausen. Schwere Atemstörung, die zu einem Atemstillstand führen kann.

Schonatmung oberflächliche Atmung bei Schmerzen

Schonkost leicht verdauliche, fettarme, gut verträgliche Nahrung

Screening Untersuchung zur Feststellung von: Krankheiten, Krankheitsausbreitung, Krankheitsstadium.

Sectio Schnitt. Sectio caesare: Kaiserschnitt.

Sedativum (Mehrzahl: Sedativa) Medikament zur Beruhigung

Sedierung Beruhigung, Schmerzdämpfung und Leichtschlaf durch Medikamente

Segelklappe Segelklappen befinden sich zwischen Vorhof und Herzkammer. Sie werden auch AV-Klappen genannt.

Sekret Absonderung aus einem Organ oder einer Wunde. Zum Beispiel Schleim aus den Bronchien.

sekundär zweitrangig, an zweiter Stelle

Sekundärerkrankung Erkrankung, die zu einer bereits vorhandenen Erkrankung hinzukommt

semi- halb

Sensibilität Empfindlichkeit

Sensibilitätsstörungen Empfindungsstörung

sensomotorisch Zusammenspiel von Sensorik und Motorik. Die Steuerung und Kontrolle von Bewegungen. Die Wahrnehmung der Reize. Und die Rückmeldung der Sinne.

Sensorik Fähigkeit zur Wahrnehmung von Reizen und von Körperzuständen

sensorische Deprivation Entzug von Sinneseindrücken

sensorische Rindenfelder Areal im Großhirn. Zuständig für die Verarbeitung von Sinneseindrücken.

Sepsis Blutvergiftung

septisch mit Keimen behaftet

septische Phlebitis Venenentzündung, die durch Keime hervorgerufen wird.

Septum Scheidewand

serös dünnflüssig

Serotonin Sogenanntes Glückshormon. Serotonin wirkt beruhigend. Und es fördert den Schlaf.

Shunt Verbindung zweier Gefäßsysteme

Sigmadivertikulitis Entzündung von Divertikeln. Divertikel sind Ausstülpungen im Bereich des S-Darmes.

Sigmaresektion operative Entfernung des Darmendabschnittes

silent leise

Silent Aspiration Eindringen von Fremdkörper in die Lunge. Der Betroffene bemerkt das nicht und setzt keine Schutzreflexe wie Husten ein.

Singultus Schluckauf

sinister links

Sinusknoten Gewebestruktur im rechten Vorhof des Herzens. Der Sinusknoten besteht aus Muskelgewebe und Nerven. Der Knoten sendet elektrische Impulse (Reize) an das gesamte Herz weiter, damit es sich zusammenzieht und Blut durch den Körper pumpt.

Sinusrhythmus normaler, regelmäßiger, gesunder Herzschlag des Menschen

SIS **s**trukturierte **I**nformations**s**ammlung Neues Konzept zum Einstieg in den Pflegeprozess. SIS erfolgt im Erstgespräch mit dem Patienten. Dabei schätzt die Pflegefachperson die individuelle Pflegesituation ein.

Skabies Krätze. Infektionskrankheit der Haut. Ursache: Kratzmilben.

Skelett Gesamtheit aller Knochen

Skills Lab Übungsraum zum Lernen an Modellen, die die Realität nachahmen. Zur Vorbereitung auf pflegerische Situationen.

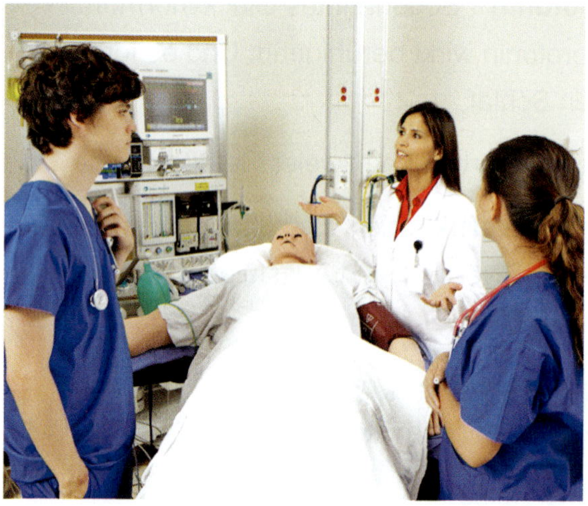

Abb. 102 **Skills Lab** Dort werden Pflegesituationen an Modellpuppen gelernt.
[E1133]

Sklera Lederhaut des Auges

Sklerenikterus Gelbfärbung der Bindehaut am Auge

Sklerose Gewebeverhärtung, Verkalkung

Sklerosierung Verhärtung

-skopie -spiegelung
Zum Beispiel: Bronchoskopie.

Skrotum Hodensack

somatisch körperlich

somatischer Schmerz Körperlicher Schmerz. Der Schmerz geht aus von: Bewegungsapparat, Haut oder Bindegewebe.

somnolent Der Patient ist benommen und schläfrig. Er kann aber durch äußere Reize geweckt werden und ist ansprechbar.

Somnolenz Benommenheit, krankhafte Schläfrigkeit

Sonde Schlauch zum Einführen in den Körper. Über eine Magensonde wird zum Beispiel Nahrung zugeführt oder Flüssigkeit abgeleitet.

Sonografie Diagnostik mit dem Ultraschall

Soor Pilzerkrankung

Soorprophylaxe Maßnahmen, um das Auftreten einer Pilzerkrankung im Mund zu verhindern.

Sopor Bewusstseinsstörung. Der Patient ist nicht mehr voll erweckbar.

Sozialdienst Unterstützungsangebot zur Nachsorge, Pflege und Organisation von Rehabilitationsmaßnahmen.

Sozialisation Einordnung in der Gesellschaft

sozioökonomisch Wechselwirkung zwischen wirtschaftlichen Bedingungen und sozialen Bedingungen

Spasmolytikum Medikament zur Krampflösung

Spasmus Krampf

Spastik erhöhter Muskeltonus

spastisch verkrampft

Spätdumpingsyndrom Folge nach Magenoperationen. Rascher Blutzuckeranstieg durch zu schnelle Nahrungspassage führt zu Unterzuckerung 1–3 Stunden nach dem Essen.

spezifisch für etwas typisch, unverkennbar

spezifisches Gewicht Eine physikalische Größe. Gibt die Konzentration des Urins an.

Sphinkter Schließmuskel

Spider naevus (Mehrzahl: Spider naevi) Erkrankung der arteriellen Hautgefäße. Rote Gefäßknötchen der Haut mit dünnen Ausläufern. Tritt oft bei Leberzirrhose auf.

spinal das Rückenmark betreffend, zur Wirbelsäule gehörend

Spinalnerv Nerv, der vom Rückenmark zur Peripherie verläuft.

Spirometrie Messung der verschiedenen Lungenfunktionen in bildlicher Darstellung

Splenektomie Entfernung der Milz

Spondylitis Entzündung der Wirbelkörper

Spongiosa innere Knochensubstanz

Spülkatheter Blasenkatheter mit einem dritten Lumen. Über dieses Lumen kann die Blase gespült werden.

Spurenelement Stoffe, die nur in sehr geringen Mengen im Körper vorkommen.

Sputum Auswurf, schleimiges Sekret aus den Bronchien

stabil beständig, nicht aus dem Gleichgewicht zu bringen

Status asthmaticus Andauernder Asthmaanfall über längere Zeit, ohne Ansprechen auf Therapie

Steatorrhö vermehrte Ausscheidung von Fetten im Stuhlgang

STEMI ST-Hebungsinfarkt: Herzinfarkt, bei dem im EKG eine sichtbare ST-Hebung vorkommt.

Stenose Verengung

Stent Metallgeflecht zur Gefäßerweiterung eines verengten Gefäßes

steril frei von Keimen

Sterilisation Verfahren zum Abtöten von Keimen

Sternum Brustbein

Stressulkus stressbedingte Schädigung der Magenschleimhaut bis hin zum Magengeschwür

Stethoskop Abhörgerät zur Auskultation (Abhören)

Stigmatisierung Zuschreibung eines Merkmals, ohne auf die individuelle Person einzugehen.

Stimulation Anregung, Reize

Stoma Öffnung. In Bezug auf Operation bedeutet Stoma: künstlicher Ausgang. Häufig Darmausgang.

Stomaretraktion Zurückziehen des Darms unter das Hautniveau

Stomastenose Verengung des Stomas

Stomatitis Entzündung der Mundschleimhaut

Strahlenenteritis Schäden des Verdauungstrakts durch Strahlung. Komplikation der Strahlentherapie.

Stressinkontinenz Ungewollter Urinverlust. Zum Beispiel bei: Pressen, Husten, Anstrengung.

Stridor pfeifendes Geräusch beim Ausatmen

Striktur Verengung

Stroke Unit Schlaganfall-Station

sub- unter

subarachnoidal zwischen den Hirnhäuten

A B C D E F G H I J K L M N O P Q R S T U V W X Y Z

subjektiv Eine Meinung wird von eigenen Erfahrungen, Gefühlen und Wahrnehmungen beeinflusst.

subkutan unter die Haut

sublingual unter die Zunge

Subluxation unvollständige Ausrenkung

Substantia nigra Gebiet im Mittelhirn. Zuständig für Bewegungen von Kopf, Rumpf, Augen. Betroffenes Areal bei Parkinson.

Substitution Ersatz, Ersetzen

super- über

superior darüber gelegen

Supervision Beratungsform für Patienten oder Teams von einer außenstehenden, unbeeinflussbaren Person.

Supination Drehung nach außen
Gegenteil: Pronation

supplementär ergänzend

supportiv unterstützend

Suppositorium Zäpfchen. Medikament zur Verabreichung in das Rektum oder in die Vagina.

Suppression Unterdrückung, Hemmung

suprapubisch oberhalb des Schambeins gelegen

Surfactant Substanz in den Lungenbläschen (Alveolen).
Surfactant verhindert den Kollaps der Alveolen am Ende der Ausatmung durch Verminderung der Oberflächenspannung der Alveolen.

Surfactantmangel Bei Surfactantmangel kollabieren die Lungenbläschen. Dies führt bei unreifen Lungen vor allem bei Frühgeborenen zum Atemnotsyndrom.

Suspension Gemisch aus einem festen Wirkstoff und Flüssigkeit. Der Feststoff löst sich nicht auf. Bei einem Medikament muss die Suspension vor der Verabreichung gut geschüttelt werden.

symmetrisch auf beiden Körperseiten gleich
Gegenteil: asymmetrisch

Sympathikomimetikum Medikament zur Steigerung des Sympathikotonus

Sympathikus Teil des vegetativen Nervensystems. Der Sympathikus aktiviert die Körperfunktionen zur Leistungssteigerung. Gegenspieler: Parasympathikus.

Sympatholytikum Medikament zur Hemmung des Sympathikotonus

Symphyse Schambein

Symptom Hinweis für eine bestimmte Erkrankung

symptomatisch
1. Typisch für eine bestimmte Erkrankung.
2. Nur die Symptome werden behandelt. Die Ursache kann nicht behandelt werden.

Synapse Kontaktstelle zwischen Nervenzelle und Nervenzelle oder zwischen Nervenzelle und Muskelzelle.

Syndrom Gruppe von Krankheitszeichen, die typischerweise gemeinsam auftreten.

Synkope kurze Bewusstlosigkeit

Synovia Gelenkflüssigkeit, Gelenkschmiere

Synovitis Entzündung des Gelenks

Synthese Herstellung

systemisch auf den ganzen Organismus bezogen

Systole Zusammenziehen des Herzmuskels mit Auswurf des Blutes

T

T 3 Abkürzung für: Trijodthyronin.

T 4 Abkürzung für: Tetrajodthyronin.

Tachyarrhythmie Herzrhythmusstörung. Die Herzfrequenz ist zu schnell.

Tachykardie erhöhte Herzfrequenz. Wenn das Herz beim Erwachsenen schneller als 100 Schläge pro Minute schlägt, dann spricht man von Tachykardie.

Tachypnoe zu schnelle Atmung

taktil den Tastsinn betreffend

Tamponade Verbandsmaterial zum Ausfüllen von Hohlräumen. Zum Beispiel zur Blutstillung.

TEE Englisch: **trans**e**sophageal** **e**chocardiography
Deutsch: Transösophageale Echokardiografie Ultraschalluntersuchung des Herzens. Die Ultraschallsonde wird über die Speiseröhre bis auf die Höhe des Herzens geschoben.

TEP **T**otal**e**ndo**p**rothese: künstlicher Gelenkersatz

temporal die Schläfe betreffend

temporär zeitweise, vorübergehend

terminal auf das Ende hingehend

tertiär an dritter Stelle

Testament Letzte schriftliche Willenserklärung eines Menschen zur Verteilung seines Vermögens.

Tetanie Übererregbarkeit von Nerven und Muskeln. Tetanie zeigt sich durch Krämpfe und Kribbeln.

Tetanus Wundstarrkrampf

tetra- vier

Tetraparese unvollständige Lähmung aller vier Extremitäten

Tetraplegie vollständige Lähmung aller vier Extremitäten

Therapie Behandlung einer Krankheit

Therm- Wärme, Hitze

Thermanästhesie fehlendes Empfinden der Temperatur

Thermhypästhesie vermindertes Empfinden der Temperatur

thorakal den Brustkorb betreffend

Thorakalatmung Brustatmung

Thorax Brustkorb, Brustraum, Brust

Thoraxschmerzen Schmerzen im Brustkorb

Thrombophlebitis Entzündung einer Vene mit Bildung eines Blutgerinnsels

Thrombose Blutgerinnsel

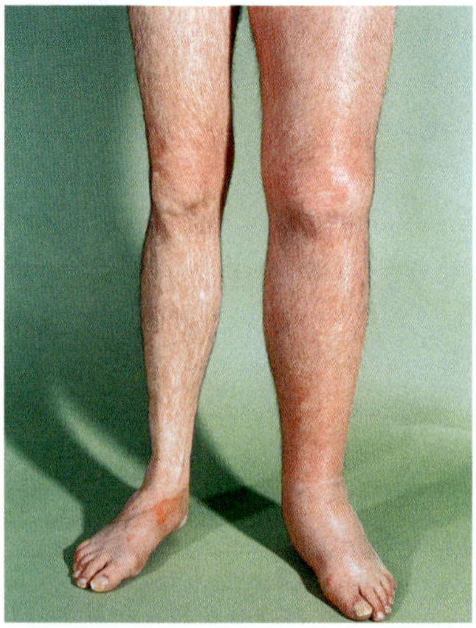

Abb. 103 **Thrombose** Das linke Bein ist deutlich geschwollen und gerötet.
[M180]

Thromboseprophylaxe Vorbeugende Maßnahmen zur Verhinderung der Entstehung einer Thrombose

Thrombozyten Blutplättchen

Thrombozytenaggregationshemmer Medikamente zur Hemmung der Zusammenballung von Blutplättchen

Thrombus Blutgerinnsel, Blutpfropf

Thromboembolie Gefäßverschluss durch einen Blutpfropf

Thyreoiditis Entzündung der Schilddrüse

Thyroidea stimulierendes Hormon (kurz TSH) Schilddrüsenhormon. Regt die Hormonproduktion in der Schilddrüse an.

Thyroxin Schilddrüsenhormon

Tibia Schienbein

tibial zum Schienbein hin

T-Lagerung Positionierung zur Dehnung des gesamten Brustkorbs. Zur Belüftung aller Lungenbezirke.
Ein Kissen unterstützt die Wirbelsäule. Das zweite Kissen unterstützt die Schultern. Die Rippen liegen frei.

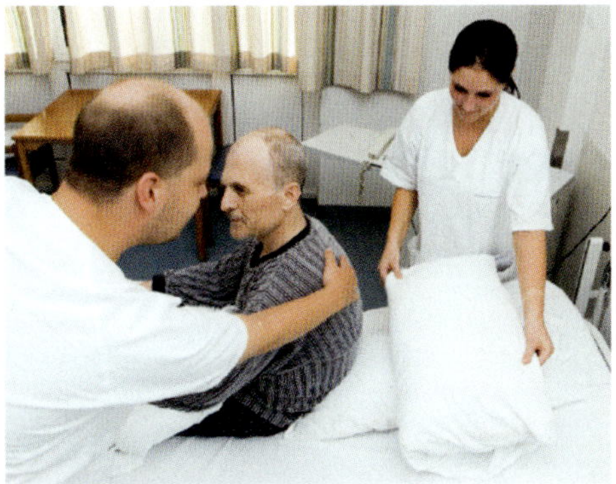

Abb. 104 **T-Lagerung**
[K115]

Toilettentraining Der Patient wird zu festgelegten Zeiten zur Toilette begleitet.
Ziel: Wiedererlangen der Kontinenz.

-tomie -Schnitt

Tonus Spannungszustand

Torsion Drehung

Torso Rumpf

Totalendoprothese (kurz TEP) künstlicher Gelenkersatz

Toxikose Vergiftung

Toxin Gift

toxisch giftig

Trachea Luftröhre

Trachealkanüle Röhrchen, das in ein Tracheostoma eingesetzt wird.

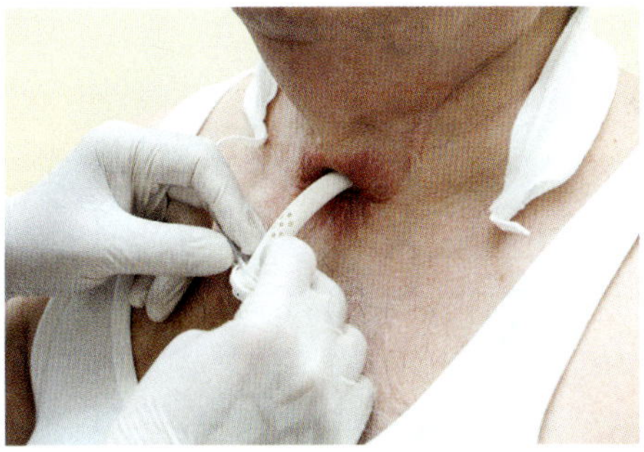

Abb. 105 **Trachealkanüle**
[M270]

Tracheostoma Zugang zur Luftröhre (Trachea). Dieser Zugang entsteht durch einen Luftröhrenschnitt (Tracheotomie).

Tracheotomie Luftröhrenschnitt

trans- durch

transanale Irrigation Verfahren zur kontrollierten Entleerung des Darms

Transferrin Protein, das Eisen im Blut transportiert.

Transfusion Zuführen von Blut

transkutan durch die Haut

Transösophageale Echokardiografie (kurz TEE) Englisch: **t**rans **e**sophageal **e**chocardiography
Ultraschalluntersuchung des Herzens. Die Ultraschallsonde wird über die Speiseröhre bis auf die Höhe des Herzens geschoben.

Trauma Verletzung, Gewalteinwirkung

Tremor Zittern

Trikuspidalklappe Herzklappe zwischen dem rechten Vorhof und der rechten Herzkammer. Sie ist eine Segelklappe.

Trismus Schmerzhafte Erkrankung der Kiefermuskulatur. Die Kiefermuskeln sind verkrampft.

Trochanter major Großer Rollhügel. Teil des Oberschenkelknochens. An diesem Knochenvorsprung setzen viele Muskeln an. Zum Beispiel: die Gesäßmuskulatur.

TSH **T**hyroidea **s**timulierendes **H**ormon
Schilddrüsenhormon. Regt die Hormonproduktion der Schilddrüse an.

Tumor Schwellung, Gewebezunahme

Turgor Hautspannung

Tussis Husten

T-Welle Teil des EKG. Rückbildung der Erregung in der Kammer.

Typhus abdominalis Infektionskrankheit

U

Überlaufblase Kleine Mengen an Urin gehen aus der vollständig gefüllten Blase unwillkürlich ab.

Ulcus cruris venosum Geschwür am Unterschenkel. Ursache: chronische Venenschwäche.

Ulkus Geschwür

Ulna Elle

Ulzeration Geschwürbildung

unspezifisch ungenau, unsicher

Urämie Vergiftung durch Ansammlung harnpflichtiger Substanzen im Blut

Ureter Harnleiter

Urethra Harnröhre

Urethritis Entzündung der Harnröhre

Urinalkondom Kondom mit Urinauffangsystem. Wird bei Männern mit Harninkontinenz angewendet.

Urinstatus Ergebnis der Laboruntersuchung des Urins

uro- Urin-, Harn-

urogenital die Harnorgane und die Geschlechtsorgane betreffend

Urolithiasis Nierensteine

Urologie Lehre der Harnorgane

Urometer Instrument zur Bestimmung des spezifischen Uringewichts

Urosepsis Blutvergiftung durch eine Infektion in den Nieren oder Harnwegen

Urostoma Ableitung von Urin auf nicht physiologischem Weg durch die Haut nach außen

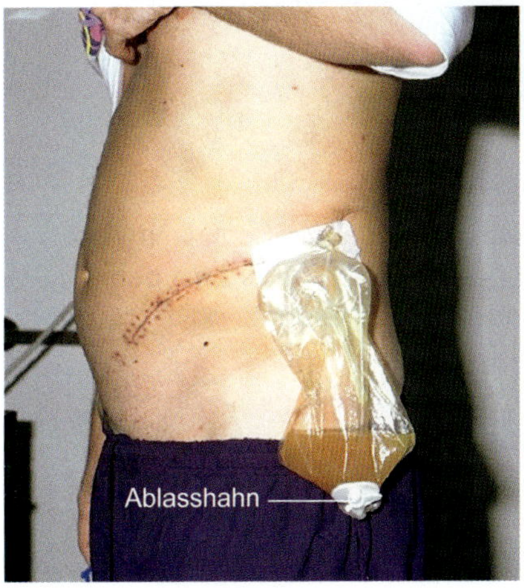

Abb. 106 **Urostoma**
[K183]

U-Schiene Schiene zur Flachlagerung der Beine. Die Beine werden nach einer Verletzung oder einem Bruch ruhiggestellt.

Uterus Gebärmutter

V

VAC-Therapie **v**acuum **a**ssisted **c**losure-therapy
Methode der örtlich gebundenen Unterdrucktherapie. Zur Behandlung infizierter Wunden.

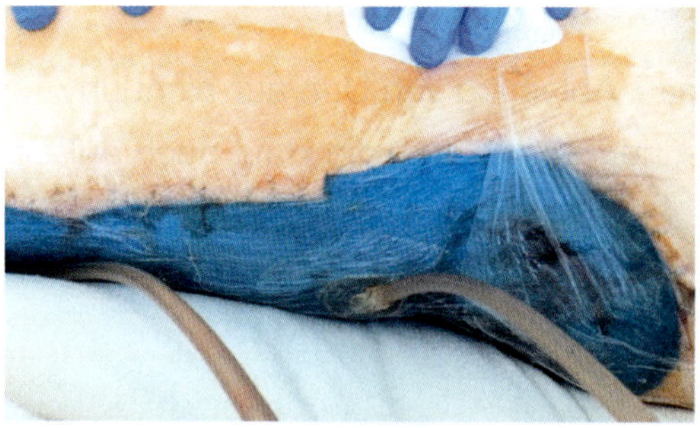

Abb. 107 **VAC-Therapie** Der blaue Schwamm liegt in der Wunde. Über den Schwamm wird mit dem Schlauch das Wundsekret abgesaugt.
[P183]

Vagina Scheide

Vagusnerv Zehnter Hirnnerv. Der Vagusnerv hat eine beruhigende Funktion auf den Körper.

Vagusreizung Aktivierung des Vagusnervs durch Reize. Zum Beispiel beim endotrachealen Absaugen. Eine Vagusreizung kann führen zu: Herzrhythmusstörungen und niedrigem Puls.

Vancomycin-resistente Enterokokken (kurz VRE) Bakterien im Darm, die gegen das Antibiotikum Vancomycin unempfindlich sind. Häufige Infektionskrankheit in Kliniken. Betroffene Patienten werden isoliert.

Varikosis Krampfaderleiden in den Beinen

Varize Krampfader, Erweiterung einer Vene

Varizellen Windpocken

Vas afferens zuführende Gefäße

Vas efferens ableitende Gefäße

vaskulär die Blutgefäße betreffend

Vaskulitis Entzündung der Blutgefäße

Vasodilatation Erweiterung der Gefäße

Vasokonstriktion Verengung der Gefäße

V-A-T-I Positionierung Lagerung bei Atemproblemen oder zur Pneumonieprophylaxe. Man unterscheidet V-Lagerung, A-Lagerung, T-Lagerung und I-Lagerung. Der Buchstabe zeigt die Position der Kissen an.

vegan Verzicht auf alle Nahrungsmittel, die vom Tier kommen. Zum Beispiel: Fleisch, Milch, Eier.

vegetativ unbewusst ablaufend

vegetatives Nervensystem Autonomes Nervensystem. Das vegetative Nervensystem steuert und reguliert alle unwillkürlichen Organfunktionen. Diese Regulation erfolgt unbewusst. Der Mensch hat keinen Einfluss darauf. Das vegetative Nervensystem setzt sich zusammen aus Anteilen des **Z**entralen **N**erven**s**ystems (ZNS) und des peripheren Nervensystems.

Veitstanz Chorea Huntington. Seltene Erbkrankheit. Es kommt zur Erkrankung des zentralen Nervensystems und zahlreichen neurologischen Ausfällen.

Vena cava Große Hohlvene. Sie transportiert Blut aus dem Körper zum rechten Vorhof des Herzens.

Vena cava inferior untere Hohlvene

Vena renalis Nierenvene

Vene Ader, die Blut zum Herzen hinführt.

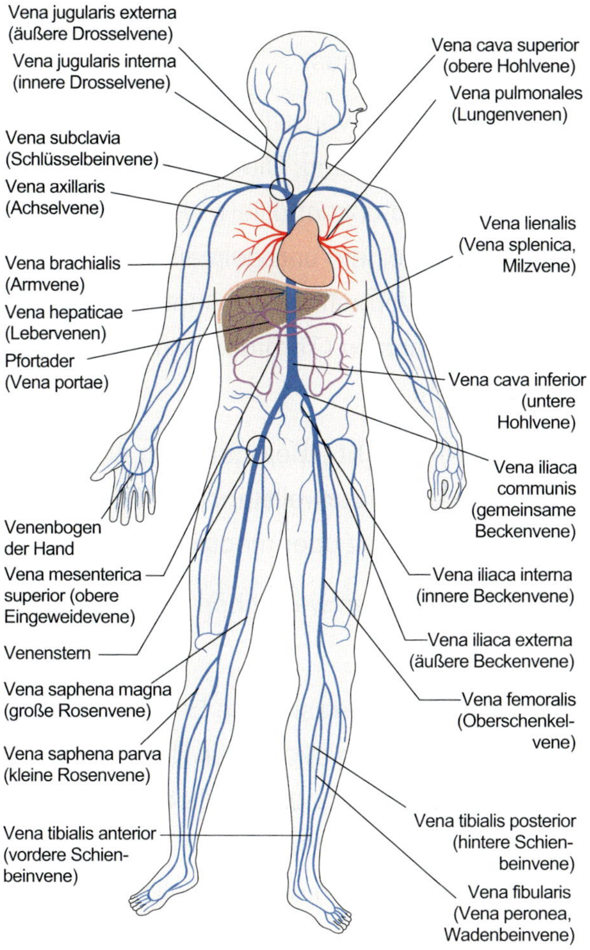

Abb. 108 **Venen**
[L190]

Venenklappeninsuffizienz ungenügendes Schließen der Venenklappen

Venenkompression von außen angelegter Druck zur Förderung des venösen Rückflusses

Venenverweilkanüle Anlage eines venösen Zugangs in kleineren, oberflächlichen Venen. Zur Infusionstherapie.

Venolen sehr kleine Verzweigungen der Venen

Ventilation Belüftung

Ventilationsstörung Störung der Lungenbelüftung

Ventrikel Kammer im Herz oder Gehirn

verbal mündlich, mit Worten

Verdauungstrakt Alle Organe, die bei der Ernährung beteiligt sind.

vertebral die Wirbelsäule betreffend

Vertigo Schwindel

Vesica urinaria Harnblase

Vesikel Bläschen

vestibulär das Gleichgewicht betreffend

Vestibularapparat Gleichgewichtsorgan im Ohr

Vibrationsmassage Maßnahme, um Sekrete aus den Bronchien zu lösen.

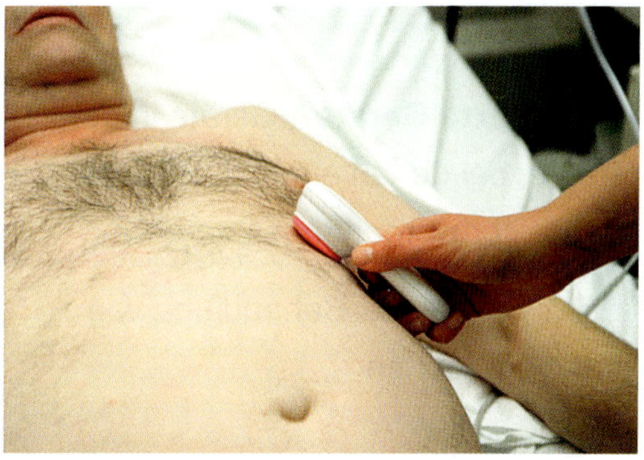

Abb. 109 **Vibrationsmassage**
[K115]

vibratorisch Wahrnehmungen, Schwingungen betreffend

Vigilanz Wachheit, dauerhafte Aufmerksamkeit

Virchow Trias Zusammenfassung der 3 Risikofaktoren für die Entstehung einer Thrombose: verlangsamte Blutströmung, Gefäßwandschäden und erhöhte Gerinnungsneigung.

viril männlich

Visite Begutachtung des Patienten durch Fachpersonal

A B C D E F G H I J K L M N O P Q R S T U V W X Y Z

Viskosität Zähigkeit

visuell das Sehen betreffend

viszeral die Eingeweide betreffend

Viszeralchirurgie operatives Fachgebiet zur Behandlung der Verdauungsorgane

Vitalzeichen alle messbaren Lebensfunktionen des Menschen

Vitalzeichenkontrolle Überprüfung der Werte: Atmung, Puls, Blutdruck, Bewusstsein, Körpertemperatur, Sauerstoffsättigung.

volar zur Handfläche hin

Volumenmangelschock lebensbedrohlicher Zustand durch Verminderung der Blutmenge im Kreislauf

volumenorientierte Geräte Geräte in der Atemtherapie, bei denen ein bestimmtes Volumen erreicht werden muss.

Vomex Medikament zur Behandlung von Übelkeit und Erbrechen

Vomitus Erbrechen

Vorhof Der Vorhof (Atrium) ist durch die Herzklappe mit der Herzkammer (Ventrikel) verbunden. In den Vorhof fließt das Blut zuerst ein.

Vorhofflattern Vorhofflattern ist eine Herzrhythmusstörung. Sie geht vom rechten Vorhof des Herzens aus.

Vorhofflimmern Vorhofflimmern ist eine Herzrhythmusstörung. Die Vorhöfe bewegen sich rasch und unkontrolliert, sie flimmern. Dies führt zu einem unregelmäßigen Herzschlag. Das Vorhofflimmern kann die Bildung von Blutgerinnseln (Thromben) im Vorhof begünstigen.

Vorsorgevollmacht Beauftragung einer anderen Person zur vollständigen Entscheidungsgewalt über medizinische Eingriffe.

Vulva die äußeren weiblichen Geschlechtsorgane

VRE **V**ancomycin-**r**esistente **E**nterokokken Bakterien im Darm, die gegen das Antibiotikum Vancomycin unempfindlich sind. Häufige Infektionskrankheit in Kliniken. Betroffene Patienten werden isoliert.

W

Wachkoma Das Großhirn funktioniert nicht mehr. Der Hirnstamm zur Regulierung der Vitalzeichen und Schlaf funktioniert. Der Patient ist wach. Er kann aber nicht bewusst wahrnehmen und auf die Umwelt reagieren.

Wärmehyperästhesie Überempfindlichkeit gegenüber Wärme

Weaning Abtrainieren vom Beatmungsgerät

Wernicke-Aphasie Schädigung des Wernicke-Sprachzentrums mit den Folgen: Sprachstörungen und Probleme beim Sprachverständnis.

Wernicke-Zentrum Gebiet im Großhirn. Das Wernicke-Zentrum ist für das Sprachverständnis zuständig.

WHO Englisch: **W**orld **H**ealth **O**rganization Deutsch: Weltgesundheitsorganisation Gremium der Vereinten Nationen. Die WHO gibt Empfehlungen für den Gesundheitsbereich heraus.

Willkürmotorik Aktive Bewegungen des Körpers, die der Mensch selbst steuert.

World Health Organization (kurz WHO) Deutsch: Weltgesundheitsorganisation Gremium der Vereinten Nationen. Die WHO gibt Empfehlungen für den Gesundheitsbereich heraus.

Wundheilungsphasen 3 Phasen der Wundheilung: Exsudationsphase (Reinigungsphase), Proliferationsphase (Granulationsphase) und Reparationsphase (Epithelisierungsphase).

Wundheilungsstörung Verzögerung der natürlichen Wundheilung durch Keime oder andere Faktoren

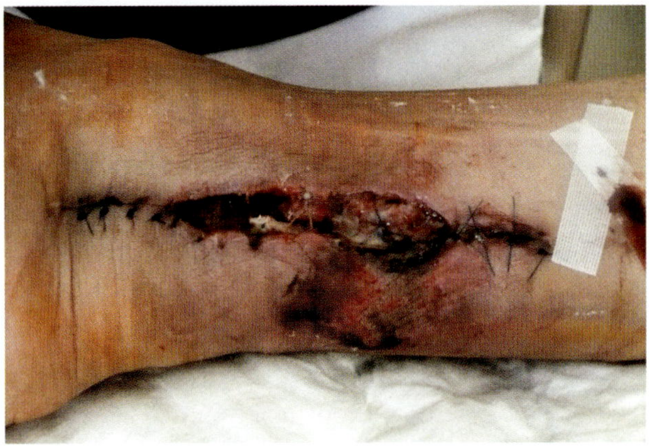

Abb. 110 **Wundheilungsstörung**
[F1118]

Wundinfektion Besiedlung einer Wunde mit Keimen

Wundrandnekrose Absterben von Wundrandgewebe

X

Xanthom Fetteinlagerung in der Haut führt zu gelben Knötchen

Xerostomie Mundtrockenheit

Z

Zäkum Blinddarm

Zenker Divertikel Ausstülpungen in der Speiseröhre

Zentraler Venendruck (kurz ZVD) Druck in der oberen Hohlvene und im rechten Vorhof. Der ZVD wird vor allem bei Patienten auf Intensivstationen bestimmt.

Zentraler Venenkatheter (kurz ZVK) Katheter, der über eine große Vene eingeführt wird, um viele Medikamente rasch verabreichen zu können.

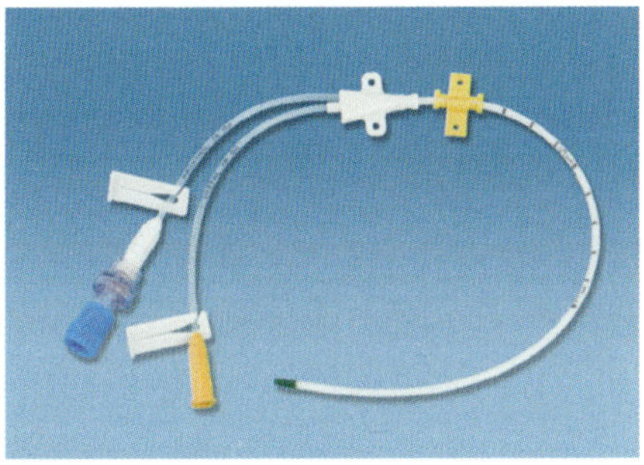

Abb. 111 **Zentraler Venenkatheter**
[K115]

Zentrales Nervensystem (kurz ZNS) Die Nervenbahnen in Gehirn und Rückenmark.

zerebral das Großhirn betreffend

Zerebrum Gehirn

Zerumen Schmalz im Ohr

zervikal den Hals betreffend

Zirkulation Kreislauf

Zilien Wimpernhärchen

Zirrhose Verhärtung und Vernarbung von Gewebe

ZNS **Z**entrales **N**erven**s**ystem
Die Nervenbahnen in Gehirn und Rückenmark.

Zöliakie Glutenunverträglichkeit: Der Körper reagiert überempfindlich gegen Gluten. Die Schleimhaut des Dünndarms entzündet sich. Gluten ist ein Gemisch aus Eiweißen. Gluten kommt in Getreideprodukten vor.

Zotten Ausstülpungen der Schleimhaut im Dünndarm. Zotten nehmen Nahrungsbestandteile auf.

ZVD **Z**entraler **V**enen**d**ruck
Druck in der oberen Hohlvene sowie im rechten Vorhof. Der ZVD wird vor allem auf Intensivstationen bestimmt.

ZVK **Z**entraler **V**enen**k**atheter
Katheter, der über eine große Vene eingeführt wird, um viele Medikamente rasch verabreichen zu können.

Zwerchfellatmung Bauchatmung

zyanotisch/Zyanose Blaufärbung der Haut durch Sauerstoffmangel

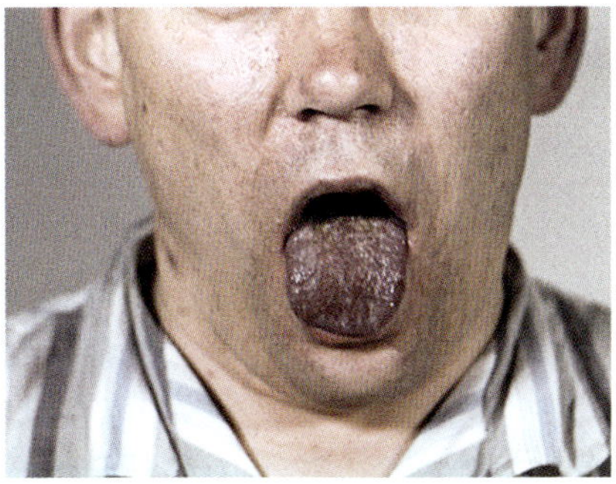

Abb. 112 **zyanotische Zunge**
[R246]

Zyste Blase. Hohlraum, der mit Flüssigkeit gefüllt ist.

Zystitis Entzündung der Harnblase

Zystoskopie Spiegelung der Harnblase

Zytostatikum (Mehrzahl: Zytostatika)
Substanzen, die das Zellwachstum hemmen. Zytostatika werden als Medikamente zur Chemotherapie bei Krebserkrankungen eingesetzt.

Abbildungsnachweis

Hinter den Texten zu den Abbildungen steht eine Angabe in eckigen Klammern. Zum Beispiel [L190]. Diese Angabe nennt den Urheber der Abbildung.

A400	Reihe Pflege konkret, Elsevier/Urban & Fischer
E607-004	Muscolino, J. E.: The Muscle and Bone Palpation Manual with Trigger Points, Referral Patterns and Stretching, 3rd Edition, Elsevier Mosby 2022
E619	Kaufman, D. M.: Clinical Neurology for Psychiatrists, 6th ed., Saunders, 2007
E1041	Feather, A./Randall, D./Waterhouse, M.: Kumar and Clark's Clinical Medicine. Elsevier, 10th ed. 2021.
E1118	Frownfelter, D. et al.: Cardiovascular and Pulmonary Physical Therapy, 6th Edition
E1131	Gardner, M. J.: Master Techniques in Orthopaedic Surgery: Fractures. Wolters Kluwer Health, Inc. 2020.
E1133	Black, B.P.: Professional Nursing: Concepts & Challenges, 9th ed., Elsevier 2019
F210-010	Teasdale, G./Jennett, B.: ASSESSMENT OF COMA AND IMPAIRED CONSCIOUSNESS – A Practical Scale. In: The Lancet. Volume 304, Issue 7872, Pages 81–84. Elsevier, July 1974
F427	T. Hotfiel et al.: Zeitschrift für Orthopädie und Unfallchirurgie. Die Bedeutung der Kniestreckfähigkeit für die plantare Druckverteilung. 2012, Thieme Verlag, DOI: 10.1055/s-0031-1298141
F1118	Weisskopf, L., Segesser, B.: Achillessehne. In: Sport Orthopädie – Sport Traumatologie. Vol. 27 (2011), pp. 183–187. Elsevier.
G290-003	Banasik, Jacquelyn L.: Pathophysiology, 7th Edition. Elsevier, 2021.
G597	Currie, G./Graham, D.: The Flesh and Bones of Medicine. Elsevier Mosby. 1st ed., 2011.
G627-001	Silvestri, L.A.: Saunders Comprehensive Review for the NCLEX-RN Examination. Elsevier Saunders. 9th ed., 2023
G959	Sorrentino, S. A./Remmert, L. N.: Mosby's Textbook for Nursing Assistants. Elsevier, 10. Aufl. 2021
G1201	Townsend, K.: Fundamental Concepts and Skills for the Patient Care Technician, 2nd ed., © Elsevier Collection, 2023.
G1202	Drake, R. L. et al: Gray's Basic Anatomy, 3rd Ed., Elsevier 2022
J747	Thomas Engbert, Design&Kommunikation, Kronsgaard
J787	Colourbox.com
K115	Andreas Walle, Hamburg
K157	Werner Krüper, Steinhagen
K183	Eckhard Weimer, Würselen
K378	Tobias Gruber, Hamburg
L106	Henriette Rintelen, Velbert
L119	Karin Wurlitzer, Greifswald
L138	Martha Kosthorst, Borken
L141	Stefan Elsberger, Planegg
L143	Heike Hübner, Berlin
L157	Susanne Adler, Lübeck
L190	Gerda Raichle, Ulm
L215	Sabine Weinert-Spieß, Neu-Ulm
L234	Helmut Holtermann, Dannenberg
L238	Sonja Klebe, Großhelfendorf
L264	Claudia Flüss, München
M117	Prof. Dr. Gerhard Grevers, München
M174	Prof. Dr. Gernot Rassner, Tübingen
M180	Prof. Dr. med. Viola Hach-Wunderle, Frankfurt am Main
M270	Walter Schädle, Babenhausen
M291	Kerstin Protz, Hamburg
M703	Dr. Johannes Wüller
M845	Christine Keller, Glonn
P183	Dr. med. Simon Weidert, München
P1069	Nadine Regnet, Neumarkt
R246	Gruber, G./Hansch, A.: Kompaktatlas Blickdiagnosen in der Inneren Medizin. Elsevier/Urban & Fischer, 2. Aufl. 2009
R415	Gruber, G./Hansch, A.: Blickdiagnosen Innere Medizin, 2019
R478	Schindelmeiser J: Neurologie für Sprachtherapeuten, 2.A, München, 2012. Elsevier GmbH, Urban & Fischer.
T173	PD Dr. med. Ulrich Vogel, Tübingen
V090	Smiths Medical Deutschland GmbH, Kirchseeon
V130	Coloplast GmbH, Hamburg
V420	Teleflex Medical GmbH, Kernen